BEAUTÉ DE PARIS

Textes de
Noël GRAVELINE

minerva

En couverture : *La Tour Eiffel, le palais Garnier*
Notre-Dame de Paris et la Pyramide du Louvre

Dos et quatrième de couverture : *Le Génie de la Liberté, place de*
la Bastille et l'échoppe d'un bouquiniste

Pages de garde : *Le Sacré-Cœur*
Page-titre : *Une arcade du Louvre et la Pyramide*
Page crédits-photographiques : *La grande Arche*

SOMMAIRE

PARIS, VILLE ÉTERNELLE

Ville aux traditions architecturales séculaires, Paris fait aussi preuve, à l'aube du XXIᵉ siècle, d'un élan créatif remarquable. Ainsi se mêlent, dans l'harmonie ou dans le contraste, le Paris de toujours et le Paris de l'an 2000.

*A*ux approches de l'an 2000, Paris se distingue entre toutes les capitales par le nombre et la variété des grands chantiers architecturaux qui remodèlent sa physionomie : les perspectives séculaires s'allongent, des quartiers endormis sont bouleversés et l'on découvre à chaque détour que le béton, le métal et le verre se sont hissés à la hauteur des décors de pierre du Grand Siècle ou de l'Empire. Après Notre-Dame et le Louvre, après la concorde et l'Arc de Triomphe, il faut compter maintenant avec Beaubourg et l'Arche de la Défense, qui relèguent déjà dans le passé le Sacré-Cœur de Montmartre et la tour Eiffel.

« L'aspect d'une ville change plus vite que le cœur d'un mortel », écrivait Baudelaire. Et, bien évidemment, l'harmonie ne s'y établit pas spontanément. C'est pourquoi l'architecture et l'urbanisme doivent se rencontrer, tout comme le temps présent se doit de mettre en valeur les trésors du passé, sans perdre de vue les enjeux du siècle qui vient. À cet égard, Paris est exemplaire : l'élan vers l'Ouest que le jardinier de Louis XIV avait ébauché aux Tuileries s'est transformé, à La Défense, en une porte ouverte sur l'avenir, selon le rêve d'un architecte danois, tandis qu'un de ses confrères sino-américain, d'une pyramide magique, inscrivait le Louvre dans une continuité historique sans égale.

Depuis longtemps installée au carrefour des idées, la capitale de la France se pose ainsi en pionnière d'un dialogue des hommes et des cultures, noué à l'échelle planétaire : en faudrait-il d'autres preuves que l'on pourrait arguer de l'Institut du monde arabe, de la Cité des Sciences et de l'industrie de La Villette ou du futur centre de Conférences internationales du quai Branly.

Ceci pour le fil de l'histoire et la capacité d'invention de la capitale. En ce qui concerne l'architecture de la ville en elle-même, la démarche fut plus hésitante car il ne suffit pas d'accumuler au cours des âges un nombre impressionnant de bâtiments prestigieux pour rendre une cité harmonieuse : si Paris est beaucoup mieux qu'un catalogue hétéroclite des styles et des époques, c'est que l'on s'y est préoccupé, de longue date, des rues, des places et des lieux publics, bref, de ces vides que remplit la vie urbaine. Cet urbanisme s'est fait jour avec la conquête romaine et l'actuelle rue Saint-Jacques est ainsi l'héritière du cardo autour duquel était organisée Lutèce ; douze siècles s'écouleront ensuite avant que Philippe-Auguste ne dote la cité de remparts, inaugurant une série d'enceintes successives, dont celle de Charles V survit avec le tracé des Grands Boulevards.

Le XIVᵉ siècle reprend l'œuvre urbaine avec un certain raffinement, depuis la première ordonnance architecturale de Louis XII jusqu'aux réalisations monumentales d'Henri IV, dont la place Dauphine, la place Royale et le Pont-Neuf, morceaux de bravoure qu'accompagnent des mesures d'alignement des rues principales et de dégagement des portes de la capitale.

Vauban poursuit l'entreprise avec la transformation des remparts en promenades ombragées, Louis XV signe la future place de la Concorde et l'Empire napoléonien se consacre à la modernisation de l'équipement urbain, une tâche peu glorieuse mais essentielle pour l'avenir car elle préparait le terrain à Napoléon III et au baron Haussmann.

En effet, le Paris que nous connaissons est toujours agencé selon les directives du grand préfet, autour d'un réseau de circulation et d'espaces verts qui ne doivent rien aux temps anciens. Enrichi à la faveur de chaque exposition universelle, le paysage parisien doit ainsi beaucoup au second Empire, à la fin duquel la capitale toucha l'un des sommets de son rayonnement.

Rien d'étonnant, donc, à ce que cette politique de la table rase ait de nouveau fait des adeptes plus près de nous, quand on commença à se préoccuper de l'échéance de l'an 2000. Un temps souverain, l'automobile et les immeubles de bureaux laissent donc aujourd'hui la place à un urbanisme inspiré de la tradition, au moment même où foisonnent de nouvelles architectures qui rompent complètement avec le passé. Ainsi la Ville Lumière est-elle éternelle et toujours à naître.

En page de gauche :
◆ *Une architecture moderne et audacieuse, reflet de l'essor de la Ville Lumière.*

Ci-contre :
◆ *La statue équestre de Louis XIV par Le Bernin se dresse dans la cour du Louvre, témoin d'un art urbain d'un autre temps.*

LA DÉFENSE

« XXIᵉ arrondissement »
de Paris, résolument
tourné vers le XXIᵉ siècle,
le quartier d'affaires de
la Défense, situé à
la limite ouest de la ville,
conjugue tours de verre,
monuments
gigantesques comme
le CNIT, esplanades
piétonnes, œuvres d'art
modernes exposées en
plein air...

Avec La Défense, Paris a tant et si bien colonisé l'une de ses banlieues de l'ouest que l'habitude est déjà prise de considérer ce quartier comme le XXIᵉ arrondissement de la capitale. Porteuses d'avenir sur une des directions privilégiées de la croissance urbaine, ces terres avaient surtout l'avantage de se trouver dans le prolongement de la perspective parisienne la plus grandiose, commencée au Louvre et continuée à la Concorde, le rond-point des Champs-Élysées et l'Arc de Triomphe de l'Étoile.

Même avant que tous ces jalons soient en place, l'axe historique

ments, de commerces et de jardins suspendus. Comme preuve de sa cohérence, le programme se référait à la célèbre Charte d'Athènes, manifeste de l'architecture progressiste inspiré par Le Corbusier en 1933.

Ainsi, au-dessus de l'artère la plus chargée de l'agglomération parisienne, l'immense « dalle » de La Défense ne connaît que des rues piétonnières, environnées d'immeubles en hauteur. Mais alors que le plus vaste chantier de Paris battait son plein, le projet initial fut détourné au profit d'un plus grand nombre de bureaux, les tours dépassant allègrement la li-

avait suscité plusieurs projets de voie triomphale. Cependant, après les moulins qui coiffaient encore la butte de Chantecoq sous l'Ancien Régime, l'endroit ne reçut rien d'autre qu'un rond-point entourant un groupe en bronze de Barrias, symbolisant la Défense de Paris en 1870. Couvert d'une zone urbaine diffuse et sans âme aux confins de Courbevoie, Puteaux et Nanterre, ce quartier de La Défense sortit de l'ombre en 1958 avec la décision d'y implanter un ensemble de bureaux, de loge-

mite initialement prévue : l'on s'émut bientôt des 166 m de la tour du GAN, craignant de voir déséquilibrée à jamais une perspective chère au cœur des Parisiens. Un temps, l'urbanisme de La Défense fut même taxé d'utopie moderniste, car les tours se révélèrent très coûteuses à entretenir après le choc pétrolier. Nombre de locaux restant en outre inoccupés parce que les employés rechignaient à travailler dans des bureaux-usines. C'est pourquoi de nouvelles techniques et des formes inédites furent

◆ *Le Centre National des
Industries et Techniques, ou CNIT,
est l'œuvre de l'architecte Bernard
Zerhfuss.*

mises en œuvre pour les tours de la « troisième génération » qui ont complété le programme autour du Parvis et de l'Esplanade.

Restait cependant une interrogation essentielle : quelle architecture viendrait, à la Tête Défense, ponctuer l'axe fameux, jusqu'alors vierge de toute construction ? Au milieu des années 70 un débat public passionné opposa les tenants de l'ouverture de cet axe à ceux qui voulaient en clore la perspective et l'on sait avec quelle élégance la solution retenue dépasse cette alternative : « fenêtre sur le monde », la Grande Arche est le point d'orgue de La Défense, mais ne marque pas pour autant son achèvement car plusieurs centaines d'hectares doivent encore être aménagées sur le territoire des communes concernées, en particulier à Nanterre.

Dès 1958, un impressionnant symbole de la modernité du nouveau quartier s'éleva au cœur de La Défense avec le palais du CNIT (Centre National des Industries et Techniques). La simplicité des courbes de ce très célèbre monument, qui évoque un coquillage renversé, fait oublier la prouesse qu'il représente, ses 230 m de portée constituant la plus grande voûte du monde. Le programme était de construire la salle d'exposition la plus vaste possible et sans piliers sur un terrain triangulaire, ce que réalisa parfaitement l'architecte Bernard Zerhfuss avec une

Ci-contre :
◆ *Les tours de la société pétrolière Elf-Aquitaine sont de MM. Saubot, Jullien et Menkès.*

◆ *La surface d'exposition du CNIT est de 100 000 m² et de grandes manifestations s'y déroulent à intervalles réguliers.*

triple voûte en fuseaux reposant sur trois points d'appui reliés en sous-sol par de puissants câbles d'acier. La voûte, assemblée fuseau par fuseau, est en réalité composée de deux voiles de béton superposées, tandis que les façades de verre et d'aluminium ont été étudiées pour accompagner la « respiration » de la toiture.

Jusqu'à une date récente, les 100 000 m² de surface d'exposition du CNIT ont servi de cadre à de grandes manifestations comme le Salon Nautique, le SICOB ou le Salon des Arts ménagers. C'est maintenant une époque révolue car le coquillage géant de La Défense abrite un complexe hôtelier : d'aucuns regrettent que le monument ait perdu son âme à cette occasion, mais il faut convenir que l'emplacement est judicieusement utilisé, à proximité d'une gare SNCF et devant un Parvis qui forme le plafond de la station du RER, elle-même constituant un vaste hall garni de boutiques.

Bordant le Parvis face au CNIT, le centre commercial *Les Quatre Temps* occupe une superficie encore supérieure, ce qui en fait le plus vaste du continent européen.

Depuis 1982, ces magasins sont surmontés par l'ensemble des bureaux *Élysée La Défense*, dont la façade de verre est curieusement creusée pour, disent ses architectes, « avec des volumes complètement nouveaux, retrouver le principe de la cour d'immeuble ». Ainsi, au long de l'Esplanade qui descend vers la Seine, s'est formée une haie d'honneur qui fait de La Défense un laboratoire de l'architecture contemporaine.

En règle générale les ensembles d'habitation correspondent aux tours moyennes, avec quelques exceptions comme la Tour Défense 2000, au piétement évasé, l'ovale Tour Eve et la Tour Manhattan, qui fut la première en 1975 à abandonner les strictes géométries à l'américaine. En avance sur son époque, cette dernière dissimulait son énorme masse derrière de gracieuses courbes et contre-courbes, exhibant des matériaux inédits qui ont fait école depuis lors. Dominant tout un peuple de bâtiments plats consacrés aux sports, aux loisirs et aux commerces, ces immeubles sont eux-mêmes dépassés de

beaucoup par les ensembles de bureaux, qui regroupent le plus spectaculaire de La Défense.

Bien que les conceptions architecturales aient largement évolué en trois décennies d'édification de La Défense, certaines des premières réalisations n'ont rien perdu de leur attrait, témoin la Tour Roussel-Nobel qui offre, aux avant-postes du quartier, des façades de proportions mesurées aux reflets bleu-vert. La seconde phase d'aménagement de La Défense peut être symbolisée par la Tour Fiat, qui demeure l'une des plus fameuses : terminée en 1974, elle s'inspire du monolithe noir mis en scène dans le film de Stanley Kubrick *2001, l'Odyssée de l'espace*. Titanesque et pur volume poussant le dépouillement à l'extrême, la Tour Fiat a aussi montré qu'il ne fallait pas aller trop loin dans le gigantisme intérieur avec des bureaux paysagers qui ne sont plus à l'échelle humaine.

Ce sombre parallélépipède voisine avec les facettes-miroirs de la Tour Elf, œuvre des mêmes architectes, aussi haute et abritant la même surface de bureaux, mais de

En page de droite :
◆ *La Défense se révèle composée d'autant de volumes d'avant-garde que de « vides » attrayants : le Parvis, l'Esplanade, des patios et des pièces d'eau.*

onze ans postérieure. Cette Tour de la troisième génération illustre le fractionnement des volumes qui a permis que chaque bureau dispose de sa propre fenêtre, d'autres raffinements invisibles étant employés par ailleurs pour diminuer les coûts d'entretien du bâtiment. Du dehors, suivant le mot de Roger Saubot, leur concepteur commun, ces tours géantes « opposent le fin et le massif, comme une femme en robe du soir et un homme en smoking ».

À cette école se rattache l'immeuble PFA, « bâtiment-phare qui brille comme un diamant » en vis-à-vis des Tours GAN et Assur, qui sont, au contraire, représentatives de la seconde génération malgré leurs plans en croix et en étoile s'efforçant d'échapper à la tyrannie du rectangle. Ambassadrice des dernières tendances architecturales, la Tour Descartes, inaugurée en 1988, relance le débat et fait entrer une silhouette post-moderne dans ce laboratoire urbanistique. À La Défense, les contrastes ne jouent pas qu'entre les angles droits et les angles aigus : on y voit aussi, par exemple, les formes rondes des immeubles *Les Miroirs* s'opposer aux grands plans verticaux des différents Damiers qui les continuent ; la variété tient également aux matériaux, verre bronzé comme à *Septentrion*, ou encore cuivré, doré, rosé, fumé, aluminium anodisé de multiples nuances, granit, marbre, basalt, béton. Les surfaces rivalisent partiellement d'invention, depuis les murs-rideaux les plus sobres jusqu'aux pointes de diamant inversées d'*Aquitaine* ou aux boucliers d'aluminium de la Tour Générale.

Beaucoup plus riche et chaleureux qu'on aurait pu le craindre, le quartier de La Défense se révèle également, à l'usage, composé d'autant de volumes d'avant-garde que de « vides » attrayants : ce sont évidemment le Parvis, la place de La Défense et l'Esplanade, mais davantage encore les places, les patios et les passerelles situés en retrait de cet axe monumental. En ramenant le regard plus près du sol, le promeneur passe en effet du florilège d'architecture à un univers convivial qui fait la part belle à l'art moderne sans négliger les espaces verts.

Dans ce domaine encore les débuts furent laborieux, car le quartier de La Défense resta longtemps livré à tous les vents, ne comptant qu'une population fantomatique en dehors des heures de travail, jusqu'à un récent rééquilibrage.

Devenue un agréable mail central depuis qu'elle a reçu son décor, la grande « dalle » dissimule en sous-sol une machinerie extraordinairement complexe où s'entrecroisent toutes sortes de canalisations et de réseaux d'énergie, des routes, ainsi que des autoroutes et des voies ferrées avec gares et échangeurs, sans compter les parkings et les étages souterrains des tours. Au-dessus de cette technologie insoupçonnable, le Parvis et l'Esplanade mettent en valeur des œuvres d'art qui donnent souvent une traduction poétique de la réalité souterraine : à côté de bassins ou de fresques qui perpétuent une certaine tradition, on contemple en effet le *Stabile rouge* de la place de La Défense qui est la dernière création de Calder, la *Fontaine monumentale* d'Agam qui fait jouer sur l'esplanade l'eau, la lumière et la musique, ou encore *L'oiseau mécanique* du sculpteur Philolaos.

Figurent également en bonne place *Les deux personnages*, une sculpture géante de Miró en polyester, le *Monstre* de Moretti, un sculpteur qui est une des figures de La Défense, *La dame Lune* de l'Argentin Silva, *Le Grand Toscan* de Mitoraj, *Lieu de corps* de Delphino, *Le Somnanbule* de De Miller, *La danse* de Selinger et bien d'autres qui font du « Manhattan français » un véritable musée d'art contemporain en plein air. Et, remise en place au pied du bassin d'Agam, la statue de Barrias, à laquelle le quartier doit son nom, apparaît maintenant comme une incongruité...

◆ *Le Parvis de la Défense sert d'espace d'accueil pour les œuvres d'art moderne.*

LA GRANDE ARCHE

Il appartient à la Grande Arche, colossal cube de marbre blanc, d'incarner la modernité architecturale de la Défense, son inscription dans le développement historique de Paris, et son ouverture vers l'avenir.

Couronnement de la perspective nouvelle, l'Arche de La Défense jouit au contraire d'une sorte d'intemporalité due à ses formes pures et au marbre blanc de Carrare qui plaque ses façades. Sans doute ne faut-il pas chercher ailleurs les raisons de l'unanimité que souleva ce projet, phénomène unique dans les annales des grands travaux de l'État. Il convient également de noter l'universalité de cette réalisation, fruit d'un concours international remporté par l'architecte danois Johan-Otto von Spreckelsen. Ainsi, ce cube évidé fermant symboliquement l'axe historique tout en laissant passer le regard vient de mettre un terme à vingt ans de polémiques, en même temps qu'il s'inscrivait dans une continuité prestigieuse puisqu'il fut inauguré cent ans après la tour Eiffel, le premier monument commémoratif de la Révolution française.

Comme son illustre aînée, la Grande Arche se veut à la fois monument et symbole, prouesse technologique et grand geste architectural, attraction touristique et belvédère privilégié sur la capitale, mais elle fait plus en étant aussi un lieu fonctionnel où travaillent 5 000 personnes. Par la pureté de ses formes et la simplicité de son concept, cette arche fait oublier le défi qu'elle lançait à ses bâtisseurs : avec 100 m de côté, le colossal ouvrage pourrait accueillir sans peine dans son ouverture Notre-Dame et sa flèche, et la dimension de ce vide imposa des structures géantes en béton précontraint que d'immenses étais mobiles remplacèrent durant la construction.

Ensemble monolithique reposant sur douze piliers qui plongent leurs fondations entre les réseaux du sous-sol, la Grande Arche consacre ainsi le mariage des experts du bâtiment avec ceux du génie civil. La première phase des travaux se termina par l'érection des douze piliers, surmontés de chapiteaux de dix mètres de long que garnit un joint en néoprène : il fallait bien cela pour des structures dont chacune allait être amenée à supporter un poids plusieurs fois supérieur à celui de la Tour Eiffel.

Une fois mis en place un socle dissimulant quatre énormes poutres perpendiculaires aux côtés de l'Arche, la construction progressa à la cadence d'un étage par paroi tous les quatre jours.

La stabilité de l'ensemble fut assurée par les étais métalliques déjà évoqués, dûment calorifugés pour éviter toute dilatation néfaste.

Quand ces parois furent conduites à leur faîte vint la phase la plus délicate, qui consistait à les relier par l'équivalent des poutres du socle : ces structures de 2 500 tonnes et de 70 m de portée furent ainsi coulées en plein ciel et ajustées avec une précision de l'ordre du millimètre.

Pour qui s'approche du monument, la technologie de la fin du millénaire est visible aux quatre cages d'ascenseurs ultra-rapides qui font comme un puits de lumière dans l'ouverture de l'Arche : ces nacelles, qui permettent de découvrir un panorama de plus en plus saisissant sur la capitale au fur et à mesure de leur montée, se caractérisent par de puissants câblages et des constructions arachnéennes en acier inoxydable. Cette structure de câbles tendus et de toile de Téflon sert d'abri et de coupe-vent, mais agit surtout « comme des arbres devant une façade », en donnant une densité à l'espace du parvis. De même, à l'extérieur du cube, les discrets bâtiments des Collines ont pour fonction d'équilibrer l'édifice et de l'intégrer à l'ensemble du quartier.

La dimension symbolique de l'Arche ne le cède en rien au gigantisme de ses mensurations et ses concepteurs se sont ingéniés à accumuler les signes dans des formes bien peu parlantes a priori. Pour von Spreckelsen, qui mourut juste

avant l'achèvement de la construction, ce cube ouvert était « une fenêtre sur le monde » et « un regard sur l'avenir », un « arc de triomphe de l'homme » dépassant toutes les barrières de la culture. Plus prosaïquement, l'architecte avait aussi voulu que les façades vitrées du monument évoquent un agrandissement démesuré de la « puce » électronique qu'il tenait pour la plus géniale invention moderne. Autre symbole, le détail qui fait peut-être le plus grand charme de cette architecture, son léger pivotement par rapport à l'axe, est plus qu'une coquetterie gratuite puisque ce décentrement subtil est exactement calqué sur celui de la Cour Carrée du Louvre, au départ de l'axe historique que jalonne l'Arche.

Enfin, relevant plus de l'ésotérisme que du symbole, deux gestes artistiques animent l'intérieur de l'édifice. Le plus accessibles apparaît avec le dallage noir et blanc qui orne les quatre patios à ciel ouvert du « toit » de l'Arche et dont les motifs, vus du ciel, dessinent une carte zodiacale.

Cette partie du monument est la seule à être accessible au public, qui y découvre les salles d'exposition d'une fondation humanitaire mondiale, ainsi que le belvédère qui ouvre vers l'est et la capitale.

La seconde œuvre a ceci d'unique que jamais personne ne la percevra dans son ensemble, car il s'agit d'une peinture murale couvrant sur leurs deux faces les éléments intérieurs de la paroi sud : chaque couloir de bureau est de la sorte traversé par des à-plats de rouge, de bleu et de blanc, dont la continuité est assurée, étage après étage, en une symphonie picturale de 14 000 m² !

En page de gauche et ci-dessus :
◆ *La Grande Arche de l'architecte danois von Sprekelsen est le point d'orgue de la Défense. Von Sprekelsen est mort juste avant l'achèvement de son éblouissant ouvrage.*

LE GRAND LOUVRE ET LA PYRAMIDE

Palais aux dimensions exceptionnelles, résidence royale à la précoce vocation muséale, le Louvre poursuit depuis huit siècles son extension architecturale et son ouverture au public, continuées par le projet du Grand Louvre dont le point d'orgue est la Pyramide de verre au centre de la cour Napoléon.

Le Louvre, c'était encore il y a peu un nom prestigieux attaché au plus vaste monument de la capitale : à la fois un palais lourd d'histoire et un musée gorgé de richesses. Cependant la réalité faisait surtout ressortir un certain état de décrépitude du palais tandis que la visite du musée tenait plutôt tantôt du marathon, tantôt de l'errance au fond d'un labyrinthe. Aux doléances des touristes et des amateurs d'art répondaient celles des Conservateurs, qui affirmaient que le Louvre soit contenait trop d'œuvres, soit recevait trop de visiteurs. Mais si les voix s'élevaient à l'unisson quant à l'urgence des mesures à entreprendre, elles se transformaient en un concert discordant au moment de proposer des solutions : la quasi-unanimité observée aujourd'hui au sujet de la Pyramide et de l'aménagement du Grand Louvre est d'autant plus surprenante après ce qui constitua l'une des plus virulentes querelles des Anciens et des Modernes qu'ait connue notre époque.

Les tenants d'un certain élitisme culturel se firent en effet les alliés de ceux qui ne voulaient à aucun prix voir modifier l'aspect extérieur du vieux palais et ils eurent pour adversaires acharnés les partisans d'une muséologie contemporaine, tout entière tournée vers le public. Ce dernier point de vue impliquait des changements radicaux dans l'agencement du Louvre, en particulier une nouvelle entrée centrale et donc des constructions supplémentaires au cœur de la sacrosainte cour Napoléon. Les Modernes triomphèrent comme on le sait, après avoir fait remarquer que la cour en question n'était alors rien d'autre qu'un espace mort et désert servant de parking, ajoutant qu'il ne fallait pas perdre de vue que le Louvre en lui-même était le produit d'un nombre incalculable d'ajouts et de remaniements, les travaux n'ayant pratiquement pas cessé entre les temps de François Ier et de Napoléon III.

« On ne touche pas au Louvre », telle fut pourtant la première réaction de Ieoh Ming Pei, l'architecte sino-américain appelé en 1983 à concevoir le projet du Grand Louvre. Un instant paralysé par le poids du passé, l'homme qui venait de réussir l'extension de la National Gallery de Washington

En page de droite :
◆ *« On ne touche pas au Louvre ! » s'écria Ieoh Ming Pei lorsqu'on lui proposa de concevoir le projet du Grand Louvre. Cependant il devait présenter bientôt des propositions surprenantes et sa Pyramide fit aussitôt l'objet de violentes polémiques. Chacun maintenant l'admire.*

Au-dessous :
◆ *Du donjon de Philippe-Auguste (détail) à la cour Napoléon avec la Pyramide, le Louvre est le fruit de plusieurs siècles d'histoire architecturale.*

proposa bientôt une solution qui fit l'objet d'une violente polémique. Puisqu'il fallait réorganiser le musée, agrandi de l'aile Richelieu libérée par le Ministère des Finances, ce serait autour d'un point central disposé au beau milieu de la cour Napoléon : toute la surface de cette cour serait dégagée en sous-sol et donnerait accès aux trois ailes du monument. Fort bien, mais le voisinage de la Seine empêchait de creuser au-delà de huit mètres : la hauteur qui manque à ce grand lieu d'accueil serait donc donnée par une pyramide de verre qui signalerait du même coup l'entrée du musée et apporterait la lumière naturelle dans ces profondeurs.

« Vaste à la base, réduite à un point au sommet, la pyramide est apparue comme la forme la plus rationnelle et la moins dévoreuse d'espace. Ni son volume dépouillé, ni son matériau (du verre ultra-transparent spécialement étudié) n'essaient de se raccorder à l'architecture classique ou de lutter avec elle. » Ieoh Ming Pei avait raison, mais les Parisiens n'en furent persuadés qu'après l'achèvement de l'objet : désormais, environnée de bassins au centre d'une place qui a retrouvé une animation de bon aloi, la Pyramide fait partie du paysage de la capitale.

Si, de l'extérieur, la Pyramide captive facilement le regard par les jeux qu'elle entretient avec les reflets du ciel et de l'eau, tout en laissant voir le Louvre grâce à sa taille restreinte et à sa transparence, de l'intérieur, on comprend réellement sa fonction : le hall d'accueil en révèle parfaitement l'objet

et son organisation est encore soulignée par la présence des trois «pyramidions» qui escortent le monument de verre.

Comme l'architecte était un perfectionniste, ses assises, d'un béton ocre spécialement mis au point, répondent à merveille à la pierre de Bourgogne d'un palais dont la restauration extérieure se poursuit activement. Au-delà se révèlent les nouvelles installations d'un musée qui manquait cruellement de dépendances : librairies, salles audiovisuelles, auditorium, salles de conférences, restaurant, etc. sont la partie visible d'un ensemble généreux qui ménage beaucoup d'espace en «coulisses» pour le travail des professionnels du musée.

Le Grand Louvre sera totalement aménagé en 1998, après des travaux moins spectaculaires que ceux de la Pyramide, mais infiniment plus délicats car tous les départements doivent gagner une surface d'exposition considérable, tandis que la superficie des services, qui est actuellement de huit pour cent du total des galeries, pas-

Ci-dessus :
◆ *La Pyramide abrite un espace d'accueil à la mesure de la fréquentation du musée, avec son grand escalier à vis et son hall intérieur.*

sera à cinquante pour cent. Parmi les grandes réalisations, il faut noter la couverture des cours intérieures de l'aile Richelieu par des verrières qui permettront de réserver ces espaces à la sculpture monumentale française.

Déjà le Louvre s'est agrandi avec, par exemple, douze nouvelles salles pour les classiques français, et sa visite commence évidemment selon la nouvelle formule : l'itinéraire fait d'abord découvrir un passionnant musée dans le musée, consacré à l'histoire du monument, une partie didactique à laquelle succède le choc de la réalité quand on se trouve soudain dans la crypte archéologique, face aux douves et aux bases des tours du bâtiment féodal de Philippe-Auguste, que les travaux ont permis de mettre en valeur sous le pavement d'une Cour Carrée parfaitement rénovée.

D'autres fouilles archéologiques – en fait le plus grand chantier du genre jamais entrepris en Europe – se déroulent dans le secteur du Carrousel où se trouvaient, au XVe siècle, les ateliers des tuiliers qui ont donné leur nom aux Tuileries. Là ont été construits en 1993 une gare routière et un vaste parking souterrains reliés à travers une galerie marchande au grand hall que coiffe la Pyramide : le sol, libéré pour une réhabilitation des abords de l'Arc de Triomphe du Carrousel, a permis la reconstitution des parterres de Le Nôtre autour d'une pyramide inversée, donnant ainsi de la lumière à tous ces aménagements.

Ci-dessus et ci-contre :
◆ *Les travaux de la Pyramide ont permis de découvrir les vestiges du donjon de Philippe-Auguste.*

Cet énorme chantier, où se seront côtoyés les plus importantes entreprises et des dizaines de maîtres artisans, fait dire très justement à Yann Weymouth, l'un des assistants de Ieoh Ming Pei, que « les musées sont les cathédrales de cette fin de siècle, comme les gares ont été celles du siècle dernier ».

Le Louvre, qui était déjà le plus riche musée du monde par les collections, était aussi le seul dont autant de salles font vivre directement l'histoire, dans des décors où vécurent par exemple Anne d'Autriche et Louis XIV. Le Grand Louvre donnera une nouvelle dimension à ces deux atouts, en permettant tout d'abord l'exposition d'un nombre d'œuvres encore plus considérable, parmi lesquelles le public sera libre de faire un choix et de composer son itinéraire, l'organisation du musée permettant d'accueillir près de deux fois plus de visiteurs qu'actuellement, soit 5 millions de personnes chaque année.

De plus, les travaux qui ont révélé le donjon de Philippe-Auguste pendant que s'élevait la lumineuse construction de Ieoh Ming Pei ont fait passer à huit siècles le parcours historique offert par le Louvre : c'est bien le moins que l'on puisse contempler à partir d'une Pyramide.

◆ *La nuit, avec les lumières et les jeux de reflets, la Pyramide prend tout son éclat.*

LE MUSÉE D'ORSAY

L'architecture de métal et de verre de la gare d'Orsay, construite en 1900, s'est avérée un cadre idéal pour exposer les grandes œuvres de la peinture et de la sculpture du XIXᵉ siècle, du Romantisme au Cubisme en passant par l'Impressionnisme.

En matière architecturale, le plus souvent, la fonction crée l'organe, mais l'exemple du musée d'Orsay montre qu'il n'est pas forcément déraisonnable de tenter la démarche inverse. Avant de devenir ce temple de l'art moderne qui constitue, depuis 1986, le chaînon manquant entre le Louvre et le Centre Pompidou, le bâtiment qui abrite le musée d'Orsay était, comme chacun sait, une gare de la Compagnie des chemins de fer d'Orléans. L'emplacement lui-même semble voué aux destins les plus inattendus, puisque s'y était élevé auparavant le palais d'Orsay, destiné au Ministère des Affaires étrangères,

mais incendié lors de la Commune sans avoir pu entrer en service. Et, après que la gare ait été désaffectée en 1939 parce qu'elle ne pouvait recevoir les trains électriques de l'époque, son décor servit successivement de cadre au théâtre d'Orsay de la compagnie Renaud-Barrault, puis à la salle des ventes durant la reconstruction de l'Hôtel Drouot.

Promise à la démolition, la gare d'Orsay a été sauvée par la prise de conscience consécutive à la destruction des Halles de Baltard : classé monument historique en 1978, l'édifice fut aussitôt pris en charge par les entreprises qui assurèrent à la fois sa restauration et

Ci-dessus et en page de droite :
◆ *L'ancienne gare d'Orsay, devenue musée, attire les visiteurs autant que le Louvre voisin.*

Ci-contre et en page de droite :
◆ *C'est l'architecte italienne Gae Aulenti qui a réalisé la transformation en musée moderne d'un édifice ouvert le 14 juillet 1900, musée voué à la riche époque de l'aventure artistique qui va du Romantisme au Cubisme, incluant donc toute l'époque impressionniste.*

son adaptation à des exigences muséographiques bien éloignées de sa destination première. Pour mieux comprendre ces travaux poursuivis huit années durant, il convient de se reporter au XIXe siècle finissant, qui voyait triompher une architecture métallique déjà portée aux nues par la Tour Eiffel.

Ouverte le 14 juillet 1900 à l'occasion de l'Exposition Universelle, en même temps que la première ligne du métro et surtout que le Petit et le Grand Palais, la gare d'Orsay marquait une sorte de reconnaissance officielle. Comme ces monuments, elle témoignait en effet de la volonté de l'académie de s'approprier les nouvelles techniques de construction. Cela est particulièrement évident au vu de la façade sur Seine, où l'ancien hôtel d'Orsay dissimule la gare et sa grande verrière derrière un habillage de pierre, l'architecte Victor Lalou réussissant ainsi à faire se regarder en vis-à-vis un bâtiment utilitaire et le jardin des Tuileries qui habille l'autre berge du fleuve.

L'intérieur de la gare d'Orsay confirmait cette dualité entre l'art de l'architecte et celui de l'ingénieur, avec des structures métalliques audacieuses que décoraient des panneaux de staff : parfaitement représentatif de son époque, l'édifice se prêtait donc bien à accueillir un musée des grandes œuvres de la fin du XIXe siècle, retraçant l'aventure artistique du terme du Romantisme jusqu'à l'aube du Cubisme. C'est pourquoi l'on choisit de conserver intégralement les bâtiments existants et de redonner le lustre d'antan à leurs décors intérieurs.

Si la grande verrière et son éclairage zénithal pouvaient paraître idéals pour une exposition d'œuvres d'art, si, d'autre part, les dimensions généreuses qu'elle dégage (140 m de long sur 35 m de haut) s'accordent bien à l'idée qu'on se fait d'une des périodes les plus fécondes de la création artistique, la réalité muséographique impose d'autres exigences, souvent contradictoires. La lumière naturelle, par exemple, doit être scrupu-

leusement contrôlée pour ne pas risquer de détériorer les chefs-d'œuvre exposés. Il a aussi fallu remodeler la gare, sans en rompre l'unité, de façon à structurer l'espace de la visite, tâche dévolue à l'Italienne Gae Aulenti.

Concrètement, les sept travées et les deux pavillons d'extrémité organisent une suite de séquences au long du grand vaisseau central dont les flots de lumière baignent les sculptures de la période 1850-1875. Deux axes parallèles et d'innombrables axes transversaux complètent le schéma, tandis que des éléments de décor très sobres adaptent chaque espace aux proportions ou à l'esprit des œuvres accrochées aux cimaises.

La métamorphose s'est achevée avec une nouvelle entrée, disposée dans une marquise qui flanque le petit côté du bâtiment, avec l'aménagement des combles et de l'ancien hôtel – où se trouve notamment la galerie des Hauteurs, consacrée aux Impressionnistes – avec, enfin, la transformation du Buffet de la gare en librairie.

LE FORUM DES HALLES

Sur l'emplacement des fameuses Halles, au centre de Paris, s'élève aujourd'hui un vaste ensemble en grande partie souterrain, qui abrite un important centre commercial et culturel.

Ci-dessus :
◆ *La Fontaine des Innocents subsiste sur une petite place ancienne conservée au seuil du Forum.*

En page de droite :
◆ *Le Forum forme un ensemble piétonnier, éclairé par de larges galeries-verrières.*

Avec les cascades de verre et de métal qui plongent vers les profondeurs du Forum des Halles, le quartier du « Ventre de Paris » a définitivement rompu avec son truculent passé, même si les constructions de surface tentent de rappeler les étranges « parapluies » de fer des pavillons de Baltard, si chers au cœur de Zola.

Évoquant plutôt des palmiers ou des geysers, ces constructions aériennes abritent de nouveaux équipements publics tels que le pavillon des Arts, la maison de la Poésie et la maison d'Information Culturelle.

Le Forum proprement dit, qui habille depuis 1979 le mythique « trou des Halles », est au contraire à vocation purement commerciale, exploitant une situation privilégiée au-dessus de la plus grande plaque tournante des transports urbains de l'agglomération parisienne.

Les quatre niveaux souterrains de cet ensemble piétonnier voué à la jeunesse et aux loisirs sont éclairés par de larges galeries-verrières et décorés d'œuvres d'art dont la plus fameuse est le *Pygmalion* de Julio Silva. Ils se poursuivent par un véritable quartier en sous-sol, où s'entrecroisent des structures de béton aux proportions cyclopéennes, avec des arcs-boutants et ogives néo-gothiques qui font écho à l'église Saint-Eustache, visible à travers un des puits de lumière qui animent ce lieu souterrain.

Des pyramides de verre émergeant du jardin des Halles éclairent ainsi une serre tropicale qui constitue elle-même l'une des perspectives d'une grande piscine enfouie. En plus des commerces, d'autres équipements sportifs et culturels font vivre ce nouveau quartier invisible de la surface et confirment, si besoin était, la « profonde » mutation du secteur des Halles.

Ci-dessus et ci-contre :
◆ *Les Halles de Baltard,
transférées en banlieue, ont laissé
vacant un espace essentiel au cœur
de Paris : il a été harmonieusement
comblé par MM. Vasconi,
Pencreac'h, Willerval et Chemetov,
et attire désormais la jeunesse du
monde entier.*

LE CENTRE GEORGES POMPIDOU

« Je voudrais passionnément que Paris possède un centre culturel qui soit à la fois un musée et un centre de création où les arts plastiques voisineraient avec la musique, le cinéma, la recherche individuelle ».

Ironie de l'histoire, le « Centre Beaubourg », très officiellement dénommé Centre national d'art et de culture Georges Pompidou,

parentés à des temples de la culture qui intimident le grand public. À cet égard, l'idée des architectes était novatrice puisqu'ils présentaient leur œuvre comme un objet à la fois familier, à la manière d'une usine, et propre à intriguer, comme pourrait l'être un vaisseau spatial. De la sorte, Piano et Rogers transformaient en atout-maître la principale difficulté liée à ce

Dans le monumental centre aux allures d'usine, dont les architectes ont choisi de montrer à l'extérieur les éléments fonctionnels, se mêlent un musée d'art moderne, une bibliothèque, une cinémathèque, l'Institut de Musique contemporaine, des espaces de création...

honore la mémoire d'un homme qui fut à l'origine de cet établissement mais qui n'avait jamais pu se faire à l'idée d'une architecture aussi particulière. Le Président Pompidou ne devait certes pas être le seul à se montrer choqué par cette « raffinerie » posée au cœur d'un des plus vieux quartiers de la capitale, mais, respectueux du choix du jury qui avait choisi le projet de Renzo Piano et de Richard Rogers parmi des centaines d'autres, il ne chercha jamais à le remettre en cause.

Cette noble attitude trouvait son fondement dans l'idée de départ du projet : en effet, en authentiques promoteurs de l'art contemporain, le Président et son épouse voulaient dépasser le concept des musées traditionnels, trop souvent ap-

« Centre » qui devait posséder des planchers complètement dégagés pour permettre tous les aménagements ultérieurs. C'est pourquoi les piliers, les tuyauteries et le grand escalier roulant sont exposés à l'extérieur du bâtiment dont ils animent les façades, en une expression-vérité qui exclut tout ornement.

Au revers de l'étrange parallélépipède que dessinent des structures métalliques en résille, la dynamique est ainsi créée par les couleurs franches des conduites nécessaires au fonctionnement du Centre, en blanc les manches à air frais, en bleu l'air conditionné, en vert les fluides et en rouge les transports. Devant la Piazza en pente douce, la façade principale se veut au contraire belvédère et fenêtre

◆ *Le Centre Beaubourg, voulu par le Président Pompidou, fut l'un des premiers monuments modernes de Paris. Ses audaces ne cessent de constituer un pôle d'attraction extraordinaire. Son aspect de « raffinerie », au cœur d'un des plus anciens quartiers de la capitale, est absolument inattendu.*

ouverte sur le monde, avec le grand escalator qui la parcourt en diagonale jusqu'à la terrasse et plusieurs galeries, formées comme lui de tubes de verre.

Cette architecture ne pouvait que susciter de violentes polémiques, qui se sont toutefois assez vite estompées depuis l'inauguration du Centre en 1977, même si le monument continue de surprendre par rapport aux actuels immeubles de verre aux lignes courbes et épurées. Ce spécimen de réalisation « high tech » restera surtout comme symbole de l'architecture d'avant la crise.

Mais c'est ici l'intérieur qui prime, avec ses six niveaux de 7 500 m² absolument vierges d'obstacles et, en cela aussi, la conception de l'édifice est unique en son genre : toutes les mouvances et tous les changements sont possibles, qualité première d'un lieu destiné à faire se rencontrer le quotidien et toutes les formes de la culture contemporaine.

Car, toujours dans le même souci d'ouverture et de vulgarisation et mieux qu'un musée de l'art moderne, le Centre Pompidou se présente comme la plus grande Maison de la Culture du pays. Ainsi, au sous-sol, quatre salles modulables se prêtent aux spectacles et aux manifestations les plus variés. Au-dessus et sur plusieurs niveaux, la Bibliothèque Publique d'Information se distingue par le libre accès gratuit à ses collections. Enfin, chapeautant le tout, le Musée National d'Art Moderne présente toutes les formes d'art plastique de notre siècle, avec une prédilection pour ses expressions contemporaines.

D'autres organismes sont associés au Centre Pompidou et logent à la même enseigne : le Centre de création industrielle se consacre aux formes des objets du quotidien, ce qui recouvre aussi bien l'urbanisme que la communication visuelle ou le design ; installé en sous-sol entre le Centre et l'église Saint-Merri, l'Institut de Recherche et de Coordination Acous-tique-Musique est aux avant-postes de la création musicale sous l'autorité de Pierre Boulez. À noter encore la place que le Centre accorde au cinéma, avec la salle Garance du rez-de-chaussée et la cinémathèque du cinquième.

Fort de cette diversité et de 25 000 visiteurs par jour, soit cinq fois plus que les prévisions, le Centre Georges Pompidou est désormais l'espace culturel le plus fréquenté de France, ce qui a eu d'heureuses conséquences sur son intégration au quartier du plateau Beaubourg. On sait que la Piazza est devenue le plus étonnant rassemblement de bateleurs de la capitale, mais il faut aussi se féliciter de ce qu'une foule de galeries d'art aient vu le jour dans les rues adjacentes, prouvant, si besoin était, la vitalité de l'art contemporain.

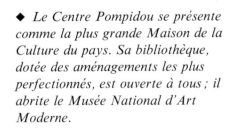

◆ *Le Centre Pompidou se présente comme la plus grande Maison de la Culture du pays. Sa bibliothèque, dotée des aménagements les plus perfectionnés, est ouverte à tous ; il abrite le Musée National d'Art Moderne.*

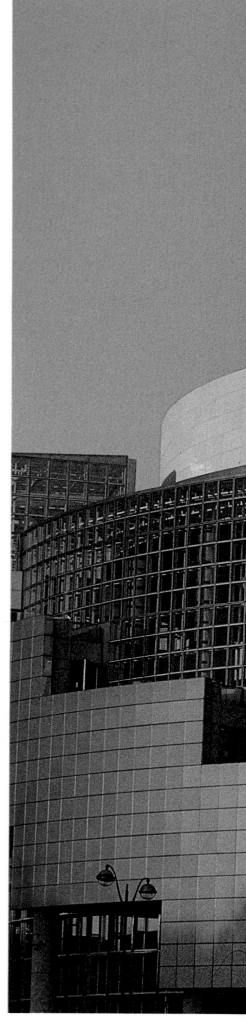

L'OPÉRA BASTILLE

Un Opéra populaire aux belles dimensions, destiné à seconder l'Opéra de Garnier dans l'autre partie de la ville, s'élève depuis 1989 sur la place de la Bastille.

De toutes les grandes places parisiennes, celle de la Bastille est assurément la moins classique, tant elle fut dessinée par le jeu des circonstances plutôt que sous l'effet d'une volonté d'urbanisme délibérée. Nul n'ignore que cet espace a été dégagé à l'emplacement de la prison trop fameuse que le peuple prit à l'assaut le 14 juillet 1789 : dès l'année suivante les démolisseurs avaient fait place nette et l'on dansa à cet endroit encore informe. La place commença à se structurer en 1833, date à laquelle fut élevée la colonne de Juillet surmontée du Génie de la Liberté, les années suivantes voyant le percement du boulevard Henri IV et de la rue de Lyon, que longeait la gare de la Bastille.

Ce préambule est nécessaire pour situer le contexte particulier dans lequel on choisit d'installer le nouvel « Opéra populaire » dont le besoin se faisait pressant à Paris : le renouveau de l'art lyrique ne pouvait en effet s'accommoder de la seule salle du palais Garnier qu'il est évidemment impossible d'agrandir ou d'adapter à une programmation plus variée et plus fournie.

Désaffectée en 1970, puis vouée à des expositions, la gare de la Bastille pouvait libérer un espace précieux dans un cadre chargé d'une telle symbolique qu'on ne pourrait associer le nouvel opéra à « un ghetto culturel pour privilégiés fonctionnant uniquement la nuit ». Ainsi, en tout cas, l'architecte Carlos Ott résumait ce qu'il ne voulait pas faire, après avoir remporté en 1983 le concours international ouvert pour cet Opéra.

Dans ce haut lieu de la Révolution française, Carlos Ott n'a aucunement cherché à ordonner la place ou à l'envahir d'une « monumentalité écrasante », ce qui aurait été à l'encontre de la vocation populaire du nouvel édifice. Il s'est par contre attaché à tout ce qui pouvait l'ouvrir sur le quartier et lui garantir une animation de tous les instants : c'est pourquoi le hall public est desservi par une bouche de métro, tandis que de nombreuses entrées donnent accès aux boutiques et aux lieux de restauration qui complètent l'activité des deux salles principales, de l'amphithéâtre et du studio.

L'insertion de l'Opéra dans le quartier se fait aussi au travers d'une architecture qui refuse le

grandiose pour se fractionner en petits volumes laissant deviner les diverses fonctions du bâtiment : demi-cylindres des salles de spectacle, cubes des cages de scène et façades plates des loges. De même, à l'achèvement des travaux, la perspective des ateliers de décors évoquera un glissement de l'Opéra vers les faubourgs, le long de la rue de Lyon, tandis qu'à l'opposé, près du portique d'entrée, la façade du restaurant Les Grandes Marches (précédemment nommé La Tour d'Argent, à ne pas confondre avec celui, plus fameux, des quais) a été scrupuleusement reconstruite.

Modeste et respectueuse du site, la composition de Carlos Ott n'en est pas moins hautement symbolique, il n'est que de remarquer, par exemple, la grande arche carrée qui dessine une « porte d'apparat », ou encore les volumes opaques de la façade qui évoquent la mise en valeur traditionnelle du « grand escalier d'opéra, image de fête ».

Largement distribuées, les surfaces transparentes rappellent aussi la volonté de l'architecte d'ouvrir cet espace sur l'extérieur. Pour le reste, les formes de l'Opéra Bastille sont dictées par un cahier des charges extrêmement contraignant : il fallait augmenter sensiblement le nombre de places offertes par rapport au palais Garnier et offrir à ce public la plus large diversité dans la programmation.

En pages précédentes :
◆ *L'Opéra Bastille est construit sur l'emplacement de l'ancienne forteresse et inauguré à l'occasion du bicentenaire de la Révolution. Ce temple de la Musique se veut ouvert à un public aussi étendu que possible et nullement élitiste.*

Ce double objectif imposait de repenser entièrement la conception des théâtres lyriques. Ainsi se trouve justifiée une grande salle qui est pourvue de tous les raffinements acoustiques et mécaniques, mais qui est surtout entourée de dix espaces scéniques dont une scène de répétition à l'identique, permettant de faire hors de la scène principale toutes les opérations de préparation et de montage de décors. Ces derniers seront prochainement fabriqués dans des ateliers annexes, alors que des espaces spécifiques ont été dévolus aux répétitions propres à l'orchestre, aux chœurs et au ballet. La variété de la programmation est en outre possible grâce à une salle modulable de 600 à 1 000 places, secondée par un amphithéâtre de 600 places et un studio de 280 places.

Ce merveilleux outil a été inauguré à l'occasion des fêtes du bicentenaire et chacun a pu vérifier le bien-fondé des solutions adoptées pour l'Opéra Bastille, notamment lorsque Placido Domingo y interpréta la Marseillaise. À cet instant poignant fut oubliée l'interminable querelle de personnes qui agita le milieu artistique en reléguant au second plan la réussite de Carlos Ott, cet architecte canadien venu apporter sa pierre en un lieu très parisien, appelé grâce à lui à plus de cosmopolitisme.

En page de gauche et ci-contre :
◆ *La colonne de la Bastille, surmontée du Génie de la Liberté, commémore la révolution de 1830 et les Trois Glorieuses.*

LE MINISTÈRE DES FINANCES

Conséquence du réaménagement du Louvre, le Ministère des Finances de Bercy, par son architecture audacieuse, participe de l'élan créatif qui anime l'Est de Paris.

Avant de songer à faire du musée l'unique occupant du Louvre, il fallut bien prévoir le relogement du Ministère des Finances qui s'abritait jusqu'alors derrière les mêmes colonnades. Ce transfert apparut propice à un regroupement des Services qui étaient disséminés dans une trentaine de bâtiments parisiens, ainsi qu'à un rééquilibrage de la capitale vers ses quartiers de l'est : le site du nouveau Ministère fut choisi entre la gare de Lyon et Bercy, où une superficie de cinq hectares pouvait être dégagée entre les voies de chemin de fer et la Seine. Enfin, en 1982, les architectes Paul Chemetov et Borja Huidobro sortaient vain-

queurs du concours lancé à cette occasion.

Pour cet ensemble de bureaux destiné à 6 000 fonctionnaires et qui devait être construit dans de strictes limites financières, la tâche des architectes n'était pas simple. Elle le devenait moins encore à considérer la disposition des lieux pressentis pour ce Ministère des Finances car, contrairement aux autres bâtiments publics ornant le front de Seine en aval, celui-ci devait s'accommoder d'un terrain perpendiculaire au fleuve, disposition encore soulignée par la présence envahissante du viaduc de Bercy portant le métro aérien. Le parti adopté fut radical et personne ne peut ignorer l'étrange édifice qui

Ci-contre et en page de droite :
◆ *L'audacieux Ministère des Finances, symbole de la rénovation du quartier de Bercy, est dû aux architectes Chemetov et Huidobro.*

marque désormais la partie orientale de Paris.

C'est d'ailleurs l'un des objectifs avoués des concepteurs de ce Ministère, désireux d'exprimer une double métaphore : celle de la portée monumentale qui manquait au Paris historique de l'est et que représente l'enjambement du quai de la Rapée et de la rue de Bercy ; et celle du pont inachevé, que figure une unique pile plongeant dans le courant de la Seine.

Aménagée à la façon des loges de Venise, cette extrémité abrite en encorbellement les bureaux des quatre ministres œuvrant à Bercy, qui disposent ainsi d'un panorama exceptionnel sur la courbe de la Seine, le Jardin des plantes et Notre-Dame. À cette « aile » tronquée répondent, à l'autre bout des 357 m du bâtiment principal, deux immeubles légèrement incurvés situés sur la dalle de la gare de Lyon. Enfin, en arrière de la longue barre de ce monument qui fait face au tumulus du POPB se dissimule encore un impressionnant complexe de bureaux disposés autour de six cours intérieures. Efficience et symbolique, tels sont bien les maîtres-mots qui ont présidé à l'élaboration du nouveau Ministère des Finances.

En haut, à gauche :
◆ *Le Ministère des Finances donne, comme un promontoire, sur la Seine, de sorte que les membres du gouvernement qui y règnent peuvent gagner l'Assemblée nationale directement par vedette rapide.*

Ci-contre :
◆ *Les aménagements intérieurs sont particulièrement soignés. Le sol des couloirs est orné de revêtements conçus par un sculpteur, Guy de Rougemont.*

LE PALAIS OMNISPORTS DE BERCY

Comme son nom l'indique, le Palais Omnisports de Bercy est conçu pour accueillir toutes les formes de manifestations sportives, du cyclisme à la planche à voile, mais aussi des manifestations culturelles comme des concerts.

A la fin de l'année 1983, lorsque fut achevé le Palais Omnisports de Paris-Bercy, les nostalgiques du « Vel' d'hiv » et des Six Jours cyclistes se réjouirent de voir la petite reine retrouver une arène dans l'enceinte de Paris. Cependant les temps ont changé et l'architecture musclée qui a surgi à l'extrémité ouest des anciens entrepôts de Bercy devait aller bien au-delà de la résurrection d'un vélodrome, fut-il de légende. Les architectes Parat, Andrault et Capieu ont donc conçu cet établissement autour d'une salle à géométrie variable, adaptable à 24 disciplines sportives différentes, et pour un nombre de spectateurs allant de 5 000 à 17 000 suivant les configurations. Cette souplesse est rendue possible par une machinerie très élaborée qui fait du POPB un espace unique au monde.

Il était également prévu d'accueillir des manifestations extra-sportives et bien en a pris aux promoteurs du Palais Omnisports, puisque celles-ci sont désormais plus nombreuses, de façon à faire face à des dépenses de fonctionnement plus importantes que prévu. À tous les sports succédèrent ainsi des spectacles mettant en scène le rock aussi bien que l'art lyrique et des réunions d'un nouveau genre dont la liste est loin d'être close : après les courses de stock-car et les super-cross à l'américaine, on

vit par exemple des compétitions de jet-ski ou de planche à voile animées par de gigantesques ventilateurs dont même les maîtres du « showbiz » n'avaient jamais rêvé avant l'existence de « Bercy ».

Même si le POPB n'est pas devenu tout à fait le Beaubourg du sport que l'on attendait, les Parisiens ont donc adopté de bonne grâce ce grand cirque, d'autant que son apparition dans le paysage de la capitale inaugure la métamorphose d'un quartier dont la déchéance n'avait même plus le mérite d'être pittoresque. La pyramide tronquée recouverte de gazon doit en effet constituer l'aboutissement du parc de Bercy, au pied de la longue silhouette du Ministère des Finances.

En page précédente et ci-dessus :
◆ *À proximité du nouveau Ministère des Finances, le Palais Omnisports de Bercy est l'œuvre des architectes Parat, Andrault et Capieu.*

Ci-contre :
◆ *Le POPB englobe une salle à géométrie variable et permet d'accueillir jusqu'à 17 000 personnes.*

LA BIBLIOTHÈQUE
DE FRANCE

La nouvelle Bibliothèque de France, destinée à remplacer celle de la rue de Richelieu, devenue trop exiguë, fait le pari de l'ouverture et de la transparence, symbolisées par ses quatre tours de verre en forme de livres ouverts.

Ci-contre et en pages suivantes :
◆ *Le projet de la Bibliothèque de France, appelée d'abord la « Très Grande Bibliothèque », est dû à l'architecte Dominique Perrault. Encore plus originale que maints autres ouvrages, elle est constituée de quatre tours transparentes de 100 m de haut et d'un soubassement recouvert par un vaste jardin.*

Lancé le 14 juillet 1988, le projet de la Bibliothèque de France vise à doter la capitale d'un établissement ouvert à tous, couvrant tous les champs de la connaissance – l'écrit, mais aussi le visuel et le sonore – et utilisant les technologies les plus modernes de transmission des données. Cette dernière caractéristique permettra non seulement d'en consulter les ouvrages à distance, mais encore d'établir toutes les liaisons imaginables avec d'autres bibliothèques, en France ou en Europe. Le site retenu est un terrain de sept hectares dégagé à Tolbiac, non loin de la gare d'Austerlitz.

Dominique Perrault, lauréat du concours international suscité par ce projet, se fait le défenseur d'une architecture minimaliste et abstraite et déclare volontiers que « le plus beau cadeau que l'on puisse faire au trop-plein urbain, c'est le vide ».

On peut avoir une idée de ce que cela représente en contemplant l'hôtel industriel presque immatériel qu'il a réalisé près du site de la future Bibliothèque de France.

Mieux encore, la surface dévolue à la Bibliothèque de France reste pour l'essentiel un bel espace : un jardin comparable à celui du Palais-Royal, aux quatre coins duquel se dressent de transparentes tours de 100 m en forme de livre ouvert.

Ces bâtiments, dont l'ouverture officielle est prévue en janvier 1997, abriteront le magasinage et l'administration de la Bibliothèque, tandis que les lecteurs auront à leur disposition, entre ces tours, des ailes dissimulées dans le soubassement de l'ensemble et encadrant le jardin intérieur.

L'INSTITUT DU MONDE ARABE

Afin de poursuivre en l'approfondissant le dialogue entre la culture venue d'outre-mer et la nôtre, l'Institut du Monde Arabe a vu le jour en 1980, procédant d'un accord signé entre la France et dix-neuf états arabes.

Pour les architectes chargés de concrétiser l'ouvrage, en l'occurrence Jean Nouvel et Architecture Studio, la tâche s'avérait ardue car il s'agissait d'associer la tradition islamique et le modernisme occidental, en même temps que le Paris de toujours et celui de l'an 2000. Le site retenu était prestigieux à l'aboutissement du boulevard Saint-Germain, au bord de la Seine et non loin de Notre-Dame, mais aussi en enclave dans le complexe fonctionnel de la faculté de Jussieu.

Dans l'ensemble comme dans les détails, et dans leur esthétique comme dans leur symbolique, les solutions adoptées pour l'Institut forcent l'admiration. Pour ce qui est de la perspective terminant le boulevard Saint-Germain, les architectes choisirent d'associer les volumes les plus tranchés du bâtiment : la « tour des Livres » est ainsi un grand cylindre blanc visible par transparence dans l'extrémité du corps de bâtiment parallélépipédique qui abrite la bibliothèque, puis, légèrement en retrait, se dévoile la proue acérée de la partie réservée au musée. Entre les deux s'ouvre une étroite « faille » qui aboutit sur un patio de

Une construction qui synthétise tradition arabe et modernisme, un espace dévolu à des expositions temporaires et permanentes relatives à la culture islamique, tel est l'Institut du Monde Arabe.

marbre blanc, insoupçonnable du dehors et rappelant l'intériorité caractéristique de l'architecture arabe.

Sous une apparente simplicité, les façades principales de l'Institut sont porteuses de bien des évocations. Au nord, le front courbe du bâtiment du musée symbolise le rattachement de l'Institut à la ville ancienne, par de longues lames métalliques qui suggèrent des lits horizontaux de pierre et laissent apercevoir, en partie haute, des silhouettes de toits parisiens discrètement gravées dans le verre, comme un reflet venant de l'île Saint-Louis et du Marais, de l'autre côté de la Seine.

En toute logique, la façade méridionale se devait d'appartenir à la tradition arabe, ce que permettaient difficilement les formes orthogonales adoptées pour la bibliothèque en raison du voisinage contraignant des blocs de Jussieu.

Jean Nouvel transcenda la difficulté en dotant cette vaste surface vitrée de panneaux de diaphragmes en aluminium reprenant les éléments de la géométrie arabe. Pour adapter ce moucharabieh au soleil de chez nous, une cellule photoélectrique commande les 27 000 diaphragmes de ces panneaux, qui tamisent ainsi la lumière à la demande, en modifiant sans cesse les motifs de la façade. L'effet est particulièrement réussi depuis l'intérieur et peut-être plus encore, vu du dehors, la nuit.

En page de gauche et ci-dessus :
◆ *Les possibilités techniques les plus audacieuses comme les éléments de la géométrie arabe ont inspiré Jean Nouvel et Architecture studio pour l'édification et la décoration, non loin de la cathédrale Notre-Dame, d'un Institut destiné à promouvoir les trésors de la culture arabe.*

◆ *La lumière de l'Institut du Monde Arabe dépend d'une cellule photo-électrique, qui la règle à la demande. Expositions et bibliothèque révèlent des siècles d'art islamique dans un décor propre à en rêver.*

LA TOUR MONTPARNASSE

Du haut de ses 210 m – le point le plus élevé de la capitale après la Tour Eiffel – la Tour Montparnasse peut aussi s'enorgueillir de sa ligne élégante et de son harmonie d'acier et de verre.

Les exemples sont légion qui prouvent l'attachement très particulier que les Parisiens portent à leur ville et quand le projet d'une nouvelle construction monumentale ne déclenche pas de profonds remous d'opinion, les promoteurs en viennent à se demander si l'architecture en question ne souffre pas d'un manque d'audace. À cet égard la Tour Montparnasse a valeur de symbole, puisqu'il fallut dix années de tergiversations avant que ne soit délivré son permis de construire. L'origine du plan de rénovation de l'ensemble Maine-Montparnasse remonte à 1934, mais il ne fut réellement activé qu'en 1958 : l'opération visait à constituer, sur l'emplacement des différentes gares établies à Montparnasse, un rôle d'attraction pour le sud de Paris, censé équilibrer celui de La Défense.

Un premier projet surmonté d'un « mur » d'immeubles souleva une hostilité générale contre les promoteurs privés, qui furent accusés de massacrer la capitale à leur profit, et l'intervention d'André Malraux ne fut pas de trop pour que la Tour puisse enfin sortir de terre. La hauteur de cet édifice qui détient toujours le record européen, avec 210 m dépassait de loin celle du projet initial mais, au moins, son esthétique était-elle irréprochable :

subtilement désaxé par rapport à la rue de Rennes, son profil en amande tronquée, plaqué d'acier et de verre fumé, était à même de faire accepter sans réticences ce premier gratte-ciel intra-muros.

Pour être élégante, l'œuvre conjointe des architectes Eugène Beaudouin, Urbain Cassan, Louis Hoym de Marien et Jean Saubot n'en est pas moins fonctionnelle : les 58 niveaux de la tour Montparnasse sont en effet pour la plupart occupés par des bureaux où travaillent 7 000 personnes, et ces chiffres impliquent des installations techniques très élaborées. Celles-ci sont gérée par un ordinateur qui prend notamment en charge un système de sécurité surveillant 3 000 points à l'intérieur de la Tour. La simplicité apparente de l'édifice cache en

◆ *Comme le centre Beaubourg, la tour Montparnasse appartient à la première génération des édifices modernes de Paris. Ses cinquante-huit étages sont dus à MM. Beaudoin, Cassa, Hoym de Marien et Saubot. Son système de sécurité est géré par ordinateur.*

outre une impressionnante structure, car ses fondations se trouvent à l'emplacement d'anciennes carrières et il a été nécessaire d'enfoncer des dizaines de « pieux » de béton jusqu'à 70 m de profondeur pour assurer une bonne assise à ses 120 000 tonnes.

Fleuron de l'ensemble Maine-Montparnasse, la Tour réserve une place de choix au public avec, à son pied, un centre commercial agrémenté de plusieurs restaurants, d'une piscine et d'installations sportives, ainsi qu'un bar panoramique et des salles d'exposition au cinquante-sixième étage ; trois niveaux au-dessus, tout au sommet, une terrasse constitue enfin un belvédère qui renouvelle la vision de Paris à partir de sa rive gauche, faisant par exemple découvrir les hôtels particuliers du faubourg Saint-Germain et leurs jardins.

Directement reliée au métro, la Tour Montparnasse l'est également à la nouvelle gare dont elle partage le nom : grâce à un parvis piétonnier revêtu de granit rose de Sardaigne, on enjambe en effet l'avenue du Maine pour accéder de plain-pied à ce puissant ensemble d'aluminium, de verre et de béton, terminé en 1974.

À l'intérieur sont particulièrement remarquables le grand hall des voyageurs, décoré de grandes compositions de Vasarely, ainsi que la discrète chapelle Saint-Bernard.

Encadrant les voies, l'aménagement récent du quartier à en outre comme points forts le siège social d'Air France, l'immeuble aux vitres mordorées du siège du Crédit Agricole et la haute silhouette de l'Hôtel Méridien-Montparnasse, qui domine un immense complexe de bureaux, de logements et de commerces.

◆ *La gare Montparnasse, qui dessert l'ouest de la France, est reliée à la tour par un parvis.*

Ci-dessus :
◆ *La tour domine l'ensemble Maine-Montparnasse, voué à la modernité.*

Ci-contre :
◆ *À proximité de Montparnasse, un édifice du catalan Ricardo Boffil.*

LE FRONT DE SEINE

Un projet urbanistique moderne et ambitieux, inspiré de l'Amérique, en bordure du fleuve parisien, tel se présente le front de Seine.

Au moment où la Seine se prépare à baigner des berges étrangères à la capitale, celle-ci offre un Front monumental, dans la lignée d'un urbanisme à l'américaine faussement inspiré par la charte d'Athènes.

Vue à distance, cette forêt de tours frôlant cent mètres de hauteur ne laisse pas deviner les principes directeurs de ce qui devait être un ensemble d'avant-garde combinant les bureaux, les logements, les commerces, les écoles et divers services publics : comme à La Défense, la circulation automo-

bile est reléguée dans les profondeurs, niveau surmonté d'un étage de parking, puis d'une dalle piétonnière garnie d'espaces verts.

À l'usage, le vent s'est révélé un grand ennemi de ce genre de conceptions, tandis que l'engouement des débuts a été ralenti par la faiblesse des liaisons avec le quartier traditionnel de Grenelle, autrefois couvert en bord de Seine de sombres usines au milieu desquelles le *Bal de la Marine* mettait une note joyeuse.

Ces défauts maintenant corrigés, cinquante mille personnes vivent

dans cet ensemble de prestige couvrant 25 hectares et où se distinguent les Tours Mars, Mercure, Espace 2000, Avant-Seine, Panorama, Perspective I et II, Reflets et celle de l'Hôtel Nikko.

La Tour Totem mérite une mention spéciale pour son architecture audacieuse en « taille de guêpe », et aussi par ce qu'elle abrite probablement une forte concentration de milliardaires. Ainsi, par l'ampleur de l'opération immobilière (et l'éclat des matériaux), ce Front de Seine constitue-t-il un bel exemple d'une certaine architecture quelque peu triomphaliste.

En page de gauche, ci-dessus et ci-contre :
◆ *Dans un site prestigieux, le front de Seine offre un exemple d'architecture à l'américaine composée de tours.*

Ci-contre :
◆ *Certaines tours sont devenues célèbres, notamment celle de l'hôtel Nikko.*

En page de droite :
◆ *On remarquera, devant l'une des tours, la statue de la Liberté, réplique de celle offerte par la France à la ville de New York.*

LA MAISON DE LA RADIO

Bel exemple de l'élan architectural des années 1960, à la fois fonctionnelle et colossale, la Maison de la Radio, fait pendant au front de Seine, de l'autre côté du fleuve.

Familièrement appelée « le fromage », la Maison de Radio-France est l'un des rares, sinon l'unique exemple d'architecture parisienne contemporaine qui ait reçu l'aval du public dès sa construction. Les habitants d'Auteuil et ceux de la capitale en général n'ont rien trouvé à redire à sa disposition purement fonctionnelle en trois anneaux concentriques, ni à son gigantisme – avec 500 m de circonférence, ce fut le plus vaste édifice jamais construit en France – ni au pointement de la tour centrale des Archives, il est vrai réduite de hauteur par rapport à son plan initial.

À l'époque où allait sortir de terre le Front de Seine, de l'autre côté du fleuve, la Maison de la Radio, terminée en 1963, fut perçue comme l'un des symboles du dynamisme national que le Général de Gaulle s'employait à illustrer

et sans doute la fibre patriotique n'est-elle pas étrangère à l'acceptation sans réserve de ce monument quelque peu emphatique. Tel était d'ailleurs exactement le propos de l'architecte Henry Bernard, à qui le Général avait demandé d'exprimer « l'organisation, la concentration et la cohésion » de la radio et de la télévision.

La couronne extérieure du bâtiment, revêtue de panneaux d'aluminium emboutis qui ont très bien résisté au vieillissement, fait office d'écran phonique et abrite le grand hall d'entrée décoré par une forêt du sculpteur Stahly, les foyers des artistes, où se trouvent des œuvres de Bazaine, Singier, Manessier et Soulages, un millier de bureaux et les studios des journaux parlés. À l'intérieur et en contrebas, la couronne intermédiaire renferme vingt studios dont trois vastes salles publiques.

◆ *La Maison de la Radio a été achevée dès 1963. Cette œuvre d'Henri Bernard est originale à plusieurs égards et d'abord par sa forme concentrique et sa circonférence de 500 m. Une tour domine l'ensemble, qui a été le plus vaste édifice de France.*

Entre l'Arc de Triomphe et l'Arche de la Défense, la Porte Maillot est un site stratégique d'un point de vue urbanistique.

LA PORTE MAILLOT

Placée sur l'axe historique qui relie le Louvre à La Défense, la Porte Maillot marque la frontière de Paris intra-muros et, à ce titre, elle a suscité les projets les plus divers, depuis des arches commémoratives de la Grande Guerre jusqu'au modernisme de Le Corbusier, en passant par un morceau d'élégant urbanisme à la Mallet-Stevens. Longtemps resté informe, ce carrefour était surtout connu pour un Luna Park inauguré en 1903, puis on tenta de lui donner une apparence de théâtralité en y amarrant à la fin des années 1970 le complexe du Palais des Congrès et de l'hôtel Concorde-Lafayette.

La Porte Maillot n'en fut pas pour autant intégrée à la fameuse perspective, ce qui occasionna une nouvelle réflexion : on parla de deux demi-arcs monumentaux de part et d'autre de la place, projet que l'opinion rejeta aussitôt après l'avoir baptisé du nom de « serre-livres » ; l'idée d'une place piétonne en sous-sol ornée d'un mémorial au Général de Gaulle ne suscita pas plus d'enthousiasme, de plus cette réalisation serait tout à fait ignorée entre l'Arc de Triomphe et La Défense. Certains suggérèrent d'orienter la Porte en direction du Bois de Boulogne. Finalement, c'est par un complément d'édifices que la Porte Maillot va être achevée.

◆ *L'hôtel Concorde-Lafayette s'élève dans le site prestigieux de la Porte Maillot.*

◆ *Au seuil de Neuilly et sur l'axe, glorieux et unique au monde, Louvre-Concorde-Étoile-Défense, la Porte Maillot, donnant sur le Bois de Boulogne, est un endroit prestigieux, cependant resté longtemps sans aménagement. Le Palais des Congrès et la tour de l'hôtel Concorde-Lafayette dominent maintenant cet emplacement.*

L'EST PARISIEN

Tours, ensembles de logement, édifices publics... L'Est de la capitale s'est lancé dès les années 1970 dans une dynamique architecturale audacieuse et résolument moderne.

Universellement connu pour avoir fait sortir de terre Brasilia, l'extraordinaire capitale fédérale du Brésil, Oscar Niemeyer ajoutait à ses convictions architecturales celles d'un militant communiste et c'est à ce titre qu'il réalisa (bénévolement) en 1971 l'immeuble de la place du Colonel-Fabien, siège central du PCF. En façade, un mur-rideau sinueux domine le dôme de la salle de réunion du Comité Central, éléments qui sont bien dans sa manière et qui auraient été accompagnés de pilotis si de strictes considérations de sécurité n'avaient présidé à l'élaboration du bâtiment.

Cette réalisation préfigurait le remarquable dynamisme architectural qui caractérise désormais les quartiers de l'est parisien, faisant mentir les augures annonçant un développement des grandes cités uniquement par l'ouest.

L'ensemble Bercy-gare de Lyon fut une autre preuve de ce renouveau, avant la construction de la Bibliothèque de France, tandis que les opérations ponctuelles se multiplient sur ce versant de Paris : c'est le vaste ensemble de logements des Orgues de Flandres, l'hôpital Robert Debré, que l'architecte Pierre Riboulet a voulu « relié à la ville et pénétré par elle », la très moderne caserne de pompiers de Willerval, porte de Vitry, ou encore les parallèles Tours Mercuriales qui font évoquer, aux abords de la porte de Montreuil, un aspect du sud de Manhattan.

Ci-dessus :
◆ *« Les Orgues de Flandres », immeubles du XIXe arrondissement, sont l'œuvre de l'architecte Van Treeck.*

En page de droite :
◆ *Les deux tours Mercuriales sont dues aux architectes Milh et Lana.*

LA VILLETTE

L'espace d'exposition de la Grande Halle, la salle de concert du Zénith, les cités des Sciences et de la Musique, la salle de projection de la Géode... Le site de La Villette a parfaitement réussi sa réhabilitation.

L'aménagement du quartier de La Villette aura constitué une œuvre de longue haleine de la Ve République. En effet, sur l'emplacement où le Second Empire avait centralisé l'acheminement et l'abattage du bétail destiné à alimenter la capitale, le Général de Gaulle avait rêvé d'une halle aux viandes ultra-moderne, projet qui fut concrétisé sous l'égide de son successeur. Commencée en 1969, la construction de cet ensemble aux proportions pharaoniques fut brutalement interrompue en 1974, en même temps que les abattoirs cessaient de fonctionner dans cette cité du sang un peu plus que centenaire, quand il devint évident que les progrès de l'industrie de la congélation condamnaient irrémédiablement les établissements de ce genre.

Il revient à Valéry Giscard d'Estaing d'avoir transformé ce fameux scandale politico-financier en un nouveau projet de Musée des sciences, des techniques et des industries. Cet ambitieux dessein fut encore développé par François Mitterrand, inspirateur de plusieurs des éléments qui entourent l'actuelle Cité des Sciences et de l'Industrie, notamment la Géode, devenue l'étendard du nouvel ensemble de La Villette.

La Grande Halle

Tout n'est cependant pas frappé au coin du futurisme à La Villette, où demeurent quelques-unes des constructions de l'âge d'or des abattoirs. La plus importante de celles-ci est la Grande Halle, autrefois affectée au marché aux bœufs. Avec 240 m de longueur sur 82 m de largeur, cet édifice métallique construit en 1867 démontre que le gigantisme architectural n'est pas l'apanage de notre siècle.

Les architectes Bernard Riechen et Philippe Robert ont réhabilité ce splendide espace en l'adaptant à une nouvelle vocation publique, faite d'expositions, de forums, de festivals et de concerts: des volumes modulables, grâce à des toiles tendues, des plates-formes mobiles et des ponts roulants, donnent une souplesse exemplaire à la Grande

Ci-dessus :
◆ *Au nord de Paris, le magnifique espace de la Villette est aménagé en un ensemble impressionnant.*

En page de gauche :
◆ *L'ancienne rotonde de Claude-Nicolas Ledoux (1784), heureusement conservée et rénovée, au seuil de la Villette, témoigne d'une autre grande époque de l'architecture en France.*

Halle qui n'a rien perdu par ailleurs de son élégance un peu surannée.

La façade méridionale de l'édifice est encadrée par deux bâtiments de pierre de la même époque, le bâtiment Janvier, portant le nom de l'élève de Baltard qui fut le premier architecte de la Grande Halle, qui abrite un des points d'accueil de La Villette, et l'ancienne Bourse aux cuirs et peaux, désormais occupée par le théâtre Paris-Villette ainsi que par la salle Arletty, où l'on peut voir des films scientifiques ou d'art et d'essai.

Le Zénith

Faisant maintenant partie intégrante du site de La Villette, le vaste chapiteau argenté du Zénith n'était à l'origine qu'un abri temporaire pour une salle de musique populaire, dans l'attente d'une réalisation en dur, Porte de Bagnolet. Le provisoire est devenu définitif avec l'abandon de ce projet et le chaleureux confort du Zénith fait

le bonheur des amateurs de variété ou de rock qui s'y retrouvent à 6 500 personnes à chaque salle comble. À défaut d'engendrer une acoustique irréprochable, les structures métalliques de 70 m de portée dégagent en effet tout l'espace intérieur puisqu'elles soutendent la toile au-dehors tout en supportant des dizaines de tonnes d'équipement en plafond.

Ayant déjà fait école, l'ingénieuse construction due aux architectes Philippe Chaix et Jean-Paul Morel présente en outre l'avantage de la rapidité de construction et de coûts assez bas, tandis que le côté provisoire de son esthétique est estompé par une façade en « résille » consacrée à l'affichage et aux informations. Enfin, signe de ralliement des fans et ancrage symbolique de la salle au cœur de La Villette, une haute colonne de béton porte l'avion rouge qui est à l'origine du nom de cet édifice. Clin d'œil urbanistique, cette tour est le seul vestige des étables des nouveaux abattoirs, qu'elle alimentait en fourrage.

La Cité des Sciences et de l'Industrie

La Villette, qui est le cadre d'une des plus profondes mutations urbaines entreprises à Paris au XXᵉ siècle, s'organise autour du morceau de bravoure que constitue la Cité des Sciences et de l'Industrie. Cette désignation dit bien le souci des concepteurs de dépasser l'idée traditionnellement attachée aux musées scientifiques, eux-mêmes déjà rendus obsolètes par le Palais de la Découverte, qui fut en 1936 le précurseur des centres interactifs très en vogue actuellement aux États-Unis.

Ainsi, la réflexion sur le contenu de la Cité fut conduite sous la direction du physicien Maurice Lévy, tandis qu'Adrien Fainsilber se voyait confier la difficile mission du contenant.

Quelques chiffres suffisent à situer l'ancienne salle des ventes des abattoirs dans le florilège des monuments parisiens : longue de 275 m et large de 110 m, elle est plus haute que l'Arc de Triomphe et abriterait facilement trois Centre Beaubourg. Ce temple de l'absurde posait problème non seulement par ses dimensions, mais encore par ses aménagements intérieurs. Ceux-ci étant prévus pour le transit du bétail, avec par exemple de longs plans inclinés et de multiples structures impossibles à adapter à un usage public, il fut donc nécessaire de vider ce parallélépipède et le poids de ferraille extirpé de la sorte égala presque celui de la Tour Eiffel !

La Géode

Image de la planète, le globe d'acier inoxydable de la Géode s'anime au gré des ciels changeants d'Ile-de-France devant la façade sud de la Cité des Sciences et de l'Industrie. Également conçue par Adrien Fainsilber, cette « forme technologique pure signale et symbolise le musée », dont elle est un des éléments. Le volume sphérique de la Géode est directement inspiré de sa fonction, puisqu'elle abrite une salle de projection hémisphérique, mais son architecture est plus complexe qu'il paraît.

La « peau » d'acier-miroir qui fait tout le charme de la Géode enveloppe en réalité une structure interne complètement indépendante, un squelette de béton reposant sur un unique pilier central, ce qui ne manque pas d'impressionner les spectateurs gagnant la salle proprement dite. Là, installés face à l'écran courbe de 1 000 m² et 26 m de diamètre, ou plutôt à l'intérieur de celui-ci, ils sont transportés dans un autre univers par la magie du procédé Omnimax, l'une des attractions les plus prisées de La Villette.

◆ *L'espace de la Villette offre un curieux mélange architectural, alliant la Grande Halle, témoignage du temps des abattoirs (en bas à gauche) et la « Folie des jeunes », espace moderne de jeu et de sport (en haut à gauche).*

En page de droite :
◆ *L'étonnante Géode (de M. Fainsilber) abrite une salle de projection hémisphérique comportant un écran de mille mètres carrés.*

Loin de renier le travail de ses prédécesseurs, l'architecte s'est employé à souligner la structure ancienne du bâtiment, faisant notamment recouvrir de granit les piles de béton et peindre en bleu cobalt les poutres du toit ; dans le même ordre d'idée l'aspect monumental de l'ensemble a été accentué par la destruction de toutes les constructions adjacentes et par le creusement de douves qui mettent à jour deux étages souterrains. Cet artifice allait aussi bien dans le sens de l'ouverture sur l'extérieur, autre problème fondamental de la transformation des anciens abattoirs.

C'est ainsi que, dans le hall central, dépouillé de tous ses volumes internes, la lumière, « source d'énergie du monde vivant », est

prodiguée par deux coupoles tournantes de 17 m de diamètre, disposées sur le toit et munies de jeux de miroirs commandés automatiquement en fonction de l'ensoleillement. Enfin, le côté sud de la Cité s'ouvre largement par une façade bioclimatique qui a la triple propriété de contrôler les apports solaires, de récupérer de l'énergie et d'intégrer à l'intérieur du musée la végétation que l'on voit se continuer dans le parc de plein air. À cet effet, trois immenses serres de 32 m de côté démontrent d'éclatante manière la complémentarité de la science et de la nature. Le monde végétal pénètre d'ailleurs plus avant dans la Cité, que tra-

verse de part en part un pont-serre où de luxuriantes plantes exotiques sont cultivées sans sol.

Avec pour mission culturelle de rendre accessible à tous les publics le développement des sciences, des techniques et du savoir-faire industriel, la Cité se devait d'innover en matière de muséographie. Dans un premier temps, le visiteur qui pénètre au cœur de l'établissement se sent un peu désorienté par tant de gigantisme et si peu d'organisation apparente, sans réaliser que cette prise de contact est étudiée pour exciter sa curiosité. Des parcours personnalisés lui sont alors proposés, au long desquels se développe la dernière étape de la découverte, qui est l'expérimentation volontaire, active et lucide, au travers

des moyens les plus sophistiqués de l'époque. Le principal élément de la Cité est son exposition permanente appelée Explora, que l'on gagne par deux escalators vitrés débouchant sur quatre départements dont les thèmes sont « De la Terre à l'Univers », « L'Aventure de la Vie », « La matière et le travail de l'Homme », et « Langages et communications ». Mise à jour tous les cinq ans, Explora est complétée par des expositions temporaires qui traquent l'actualité scientifique et technique par l'Inventorium, réservé aux enfants, la Médiathèque, le Planétarium, la salle de cinéma Louis-Lumière et la maison de l'Industrie.

Le Parc

Pour être accueillant à toute culture, et pas seulement à celles des sciences exactes, le nouveau quartier de La Villette s'est ouvert aux expositions, aux spectacles, à la musique et à la danse.

Dans le même dessein, les 35 ha de terrains restés disponibles autour de la Grande Halle, du Zénith et des Cités furent confiés à l'architecte Bernard Tschumi : tout en unifiant ces constructions disparates par un jeu de circulations et d'éléments repères, par un équilibre de surfaces et de volumes, celui-ci s'est en effet attaché à faire pénétrer les activités les plus diverses à l'intérieur de ce parc, des jeux au jardinage, en passant par l'informatique.

Des éléments existants, qui structuraient déjà ce vaste espace, ont été réutilisés par force.

Ainsi le réseau des voies d'eau anciennes qui se réunissent au « rond-point des canaux » de l'Ourcq et de Saint-Denis, auxquelles Bernard Tschumi se propose d'ajouter un étroit « Petit Canal » longeant la Grande Halle ; ainsi encore plusieurs allées bordées de platanes centenaires, ou la Rotonde des Vétérinaires, transformée en Maison de La Villette, écomusée du site et des quartiers environnants.

En page de droite et ci-dessus :
◆ *La Cité des Sciences et de l'Industrie de la Villette, réalisée par les architectes Fainsilber et Mersier à partir de l'ancienne salle des ventes des abattoirs, permet au grand public de découvrir de façon active et ludique le développement des sciences et des techniques.*

La Cité de la Musique

Dernier équipement d'importance du parc de La Villette, la Cité de la Musique encadre l'extrémité méridionale de la Grande Halle, de part et d'autre de la curieuse Fontaine aux Lions de Nubie, monument érigé en 1811 place de la République et transféré plus tard aux abattoirs pour servir d'abreuvoir. Lauréat de la consultation lancée pour ce projet, Christian de Portzamparc a voulu construire « un espace de transition qui amène le jardin à la ville », une sorte de quartier fait de multiples bâtiments très différenciés, plutôt qu'un ensemble monumental et symétrique centré sur la place de la Fontaine.

La première tranche de travaux a concerné la partie ouest de la Cité, dédiée au Conservatoire national supérieur de Musique et comprenant 80 salles de cours et de répétition, plusieurs salles publiques pour l'orgue, l'art lyrique et l'atelier de création interdisciplinaire, une médiathèque, ainsi que des logements étudiants et plus de cent studios de travail individuels.

L'architecture y joue des pleins, des vides et des failles de lumière, sans rompre la continuité du tissu urbain de l'avenue Jean-Jaurès voisine.

L'autre aile de la Cité de la Musique est en complète opposition avec celle des étudiants : par sa fonction, tout d'abord, puisqu'elle est ouverte au public et qu'elle regroupe des bâtiments aux usages très divers. Par son architecture, surtout, car ces unités distinctes, à la géométrie parcourue de triangles et de spirales, sont rassemblées sous un toit ascendant au « mouvement lyrique » et derrière une façade oblique qui s'ouvre largement sur le jardin.

Ci-dessus et en page de droite en haut :
◆ *La Cité de la Musique, due à C. de Portzamparc, abrite entre autres le Conservatoire national supérieur de Musique, dans une architecture « lyrique ».*

En page de droite en bas :
◆ *Entre la Grande halle, le Zénith et les Cités des Sciences et de la Musique, le parc de B. Tschumi conjugue jardins, allées et voies d'eau.*

NOTRE-DAME DE PARIS

Depuis plus de huit siècles, la cathédrale élève sa flèche et ses tours dans le ciel de Paris, fière d'être son plus ancien et plus remarquable monument.

Commencée en 1163 sous la direction d'un maître inconnu, cette cathédrale des cathédrales fut, deux siècles durant, amenée vers une perfection architecturale perceptible jusque dans le plus infime détail. Hélas, une extraordinaire incurie, tant du clergé que du pouvoir, fit que le sanctuaire était déjà bien délabré quand débutèrent les destructions révolutionnaires : il fallut la fougue d'un Victor Hugo, passionné par le monument au point de lui consacrer un roman, pour que l'on songe à rendre à Notre-Dame de Paris son éclat primitif.

Viollet-le-Duc s'en chargea avec talent, au point que le résultat de ses minutieuses recherches l'a conduit à composer un sanctuaire un peu idéalisé, empruntant autant à la cathédrale du XIIe siècle qu'à celle du XIIIe.

Parfait dans ses proportions, sommet de l'harmonie, ce chef-d'œuvre de l'art français impressionne aussi par la charge historique et affective qui lui est attachée. Élevée sur l'emplacement d'une cathédrale mérovingienne ayant elle-même pour fondations un temple païen, Notre-Dame entrait en effet dans l'histoire de France avant même son achèvement : en 1239, Saint Louis, pieds nus, y dépose la Couronne d'Épines en attendant l'achèvement de la Sainte Chapelle et, en 1302, Philippe le Bel y réunit les premiers États Généraux du royaume. Après sa consécration la cathédrale égrène de plus belle les grandes dates de la monarchie aux accents des Te Deum. Couronnements, mariages, baptêmes et victoires sont l'occasion de fastes exceptionnels, conférant à Notre-

Ci-dessus :

◆ *Le flanc sud de la cathédrale Notre-Dame est bordé par les quais de la Seine et ses bouquinistes.*

Ci-dessus :
◆ *Le porche admirablement
travaillé illustre la Résurrection des
morts et le Jugement Dernier.*

En pages suivantes :
◆ *Le printemps fleurit un
monument dont les âges n'ont en
rien terni le message d'espérance.*

Dame un prestige que même les révolutionnaires tenteront de s'approprier.

Le 15 juillet 1789, l'archevêque de Paris célèbre sous ces voûtes un office commémorant la prise de la Bastille, avant que ne soit inventé le culte de la Raison. C'est ainsi que, le 10 novembre 1793, on peut voir à Notre-Dame, dans un décor emprunté à l'Opéra, Mademoiselle Aubry, figurante, jouer le rôle de la déesse Raison, tandis que l'assistance entonne un hymne de Gossec sur des vers de Chénier ! Entre ces deux dates, la cathédrale a été pillée, les statues des vingt-huit rois de Juda de la façade étant notamment arrachées et brisées, alors que les cloches étaient toutes fondues, sauf le gros bourdon « Emmanuel ».

Un temps trivialement affecté au dépôt des fourrages et des vivres, l'édifice fut ensuite consacré au culte de l'Être Suprême, décrété par la Convention à l'initiative de Robespierre.

À cet intermède succède celui de l'Empire avec le sacre de Napoléon par le pape Pie VII, l'exposition des drapeaux d'Austerlitz et le baptême du roi de Rome, puis la Monarchie de Juillet décide, en 1841, de la restauration complète du sanctuaire qui se poursuivra jusqu'en 1864. Notre-Dame renoue entre-temps avec la pompe impériale à l'occasion du mariage de Napoléon III, suivi du baptême du prince impérial.

Depuis lors, la « paroisse de l'histoire de France » s'est beaucoup illustrée en servant de cadre à une série de funérailles nationales, mais on préférera se souvenir des grandioses Te Deum du 16 août 1944 et du 9 mai 1945, ainsi que du Magnificat et de la messe solennelle célébrée sur son parvis par le pape Jean-Paul II en 1980.

Comme celle de Bourges, de Laon ou de Strasbourg, la cathédrale Notre-Dame de Paris s'éle-

◆ *Tout en hauteur et en verticalité, le chœur de Notre-Dame est typique de l'art gothique.*

vait au Moyen Âge au milieu des maisons, un environnement qui lui donnait un caractère bien différent de celui d'aujourd'hui, résultat des travaux de dégagement d'Haussmann.

La réussite est incontestable et, en particulier depuis le parvis, le monument révèle pleinement la majesté et l'équilibre de son ordonnance. Cette vision d'ensemble traduit bien les scrupules des premiers bâtisseurs, infiniment respectueux du style initial : il ne faut pas perdre de vue en effet qu'à la suite du maître d'œuvre génial et inconnu qui commença l'édifice en 1163 sous l'égide de l'évêque Maurice de Sully, œuvrèrent Jean de Chelles, Pierre de Montreuil, Pierre de Chelles, Jean Ravy, Jean le Bouteiller et Raymond du Temple, ce dernier n'achevant la construction qu'à la fin du XIVe siècle.

Dans le détail, la façade principale montre tout d'abord les trois portails dont les tympans et les voussures sculptés furent un modèle pour les imagiers du Moyen Âge.

Les pentures en fers forgés des six vantaux sont également parmi les plus beaux ouvrages du genre qui nous soient parvenus. Au-dessus, barrant toute la largeur de l'édifice, la Galerie des Rois présente les ancêtres du Christ, et non les souverains de France abhorrés, comme le crut le peuple des révolutionnaires. La façade s'éclaircit alors avec l'étage de la rose : à sa base court la dentelle de la galerie de la Vierge, ainsi nommée car y figure une Vierge à l'Enfant encadrée de deux anges auxquels la grande rose semble dessiner une auréole ; ornées des statues d'Adam et Eve, des baies latérales complètent cet étage. On découvre ensuite la grande Galerie qui relie la base des tours de façon très aérienne et porte des monstres imaginés par Viollet-le-Duc.

◆ *La rosace, dont les somptueuses couleurs ne sont visibles que de l'intérieur, montre à l'extérieur une statue de la Vierge à qui est dédiée la cathédrale.*

◆ *L'abside, épaulée par ses prodigieux arcs-boutants, offre un décor sculpté d'une grande finesse.*

Les tours elles-mêmes allient la majesté et la légèreté, grâce à des baies élancées et culminent à près de 70 m.

En faisant le tour du sanctuaire on découvre en outre le magnifique portail du Cloître, suivi de la porte Rouge sur le flanc nord et, plus riche encore, à l'opposé, le portail Saint-Étienne. Au passage, à partir du square Jean XXIII, se seront révélés les arcs-boutants les plus hardis du Moyen Âge ainsi que l'élégante flèche restituée par Viollet-le-Duc.

L'intérieur de l'immense vaisseau frappe par une luminosité qui té-moigne de la précoce maîtrise des architectes du gothique. Parmi les vitraux, bien peu sont d'origine à part ceux des roses, mais les verrières modernes de Le Chevalier, posées en 1965, ont redonné à la cathédrale son atmosphère du Moyen Âge car le maître verrier a utilisé les coloris et les procédés de cette époque. Les grandes orgues de Clicquot, restaurées par Cavaillé-Coll et modernisées en 1962, constituent un autre des trésors de Notre-Dame, qui déborde par ailleurs de sujets d'intérêt, que ce soit dans les chapelles ou le chœur.

L'HÔTEL DE VILLE

Sur la rive droite de la Seine, face à l'Ile de la Cité, la place de l'Hôtel de Ville est au centre de l'histoire de Paris depuis le Moyen Âge.

Mieux que Notre-Dame, le Palais de Justice et le Louvre, dont l'histoire se rattache d'abord à celle de l'Église et de la royauté, l'Hôtel de Ville se veut le véritable cœur de Paris. Dès l'origine, ceux qui eurent la charge d'administrer la cité furent choisis parmi les Nautes, c'est-à-dire au sein d'une corporation des bateliers, ce qui explique la devise célèbre « Fluctuat nec mergitur » : « Il flotte et ne coule pas ». En 1260, Saint Louis confirme ce rôle en confiant à la « hanse » des marchands de l'eau une bonne part des

responsabilités municipales. L'activité marchande s'étant développée sur la rive droite, face à l'île de la Cité, les édiles se réunirent d'abord place du Châtelet, dans le Parloir aux Bourgeois, avant de se déplacer, à peine en amont, dans la Maison aux Piliers. Bordant la place de Grève, ce nouveau siège de l'assemblée municipale fut choisi en 1357 par Étienne Marcel, alors prévôt de marchands.

La place de Grève, ébauche de l'actuelle place de l'Hôtel de Ville, tenait son nom d'une sorte de plage descendant en pente douce

vers le fleuve, qui avait été aménagée pour devenir le principal port fluvial de Paris. On sait que le lieu fut pendant plus de cinq siècles le cadre des exécutions capitales, mais peut-être sait-on moins que l'expression « se mettre en grève » vient de l'habitude qu'avaient de s'y réunir les hommes sans travail. Toujours est-il que la Maison aux Piliers remplit son office jusque sous François Ier, lequel chargea de sa reconstruction l'Italien auquel on attribue aussi les premiers plans de Chambord, Le Boccador.

Cet initiateur de la Renaissance française allait mourir vers 1550, alors que la partie sud de l'édifice, seule commencée, n'était pas encore achevée.

L'ambitieuse réalisation se poursuivit sous Henri IV et Louis XIII et Pierre Chambiges termina l'édifice en 1628. L'Hôtel de Ville fut ensuite l'un des hauts lieux de la Révolution, l'astronome Bailly y recevant le 15 juillet 1789 la charge de maire de Paris et La Fayette celle de chef de la Garde Nationale ; le surlendemain, Louis XVI s'y rend en grande pompe pour se voir remettre par les deux hommes la nouvelle cocarde tricolore où le blanc de la royauté est encadré par les couleurs de Paris. En 1794, le 9 thermidor, Robespierre acculé dans l'Hôtel de Ville tentera de s'y suicider et, entre ces deux dates, le bâtiment aura souvent constitué l'un des avant-postes de la Révolution.

Agrandi et somptueusement décoré sous Louis-Philippe, qui avait notamment commandé des peintures à Ingres et Delacroix, l'Hôtel de Ville devient en 1848, après l'éviction du souverain, le siège du gouvernement provisoire où se distingue Lamartine. L'histoire cède un temps le pas à l'architecture sous Louis-Napoléon, qui charge Haussmann de dégager l'Hôtel de Ville en 1851, puis, en 1870, les événements se précipitent : proclamation de la République, investissement de l'édifice symbolique par les insurgés pendant le siège de Paris, institution de la Commune et finalement destruction du monument par les « Fédérés ».

L'Hôtel de Ville actuel est ainsi une reconstitution menée, de 1874 à 1882, dans un assez bon respect du style initial, notamment pour la façade. L'histoire y a déjà droit de cité puisque le bâtiment fut en août 1944 le quartier général de l'insurrection des forces de la Résistance contre les troupes allemandes qui occupaient la capitale.

Sa visite permet d'apprécier les proportions de l'escalier d'honneur, de la salle des Fêtes et des salons de réception dont la décoration fastueuse constitue un bon résumé de l'art officiel des débuts de la IIIe République, avec, en particulier, des peintures de Puvis de Chavannes, des panneaux de Jean-Paul Laurens et un buste de la République par Rodin.

◆ *Lieu d'événements historiques majeurs, l'Hôtel de Ville est aussi l'un des plus beaux monuments de Paris. Sa façade (en page précédente) est ornée dans le détail d'une façon à la fois riche et équilibrée (ci-contre et en page de droite).*

LA SAINTE-CHAPELLE

Somptueuse châsse destinée à recevoir les reliques de la Passion, sommet de l'art gothique, monument à la gloire du vitrail, la Sainte-Chapelle force l'admiration malgré ses dimensions réduites.

Enserrée siècle après siècle dans un cadre ingrat par les agrandissements incessants du Palais de Justice, la Sainte-Chapelle n'en paraît que plus légère et élancée, mais cette impression est encore peu de chose par rapport à ce que l'on ressent en pénétrant dans la chapelle haute : cette sublime chasse gothique semble en effet n'être composée que de vitraux tant l'ossature de pierre du sanctuaire se fait mince tout autour de la nef.

L'histoire du sanctuaire trouve ses origines en 1239, quand Saint Louis parvient à acquérir la Couronne d'Épines du Christ en échange d'une somme considérable. D'autres reliques précieuses étant entrées en sa possession, le souverain forme le projet d'adjoindre à son palais un monumental reliquaire, dont il confie l'exécution à Pierre de Montreuil, le meilleur architecte en ce temps. Élevée en moins de trente-trois mois, ce qui est alors un prodige, la Sainte-Chapelle est consacrée en 1248, mais rien ne subsiste de l'agencement du palais à ce moment, car les parties les plus anciennes en sont l'œuvre de Philippe le Bel, le petit-fils de Saint Louis. Comme il était de règle pour les chapelles palatines, le souverain et ses familiers pouvaient se rendre directement des appartements royaux à la partie haute du sanctuaire, tandis que le niveau inférieur était réservé aux courtisans, aux soldats et aux serviteurs.

Aujourd'hui, il faut emprunter cette chapelle basse, peu élancée et parée d'éclatantes décorations polychromes au siècle dernier, avant d'accéder à l'étage par un escalier à vis. La Sainte-Chapelle devait matérialiser la Jérusalem céleste, inlassablement désirée, et ce sanctuaire royal marqua ainsi l'aboutissement des recherches des architectes de la période gothique en matière de voûtement, d'éclairage, d'équilibre des masses et d'harmonie entre les formes et leur décor. Les supports intermédiaires, les murs et les arcs-boutants ont en particulier été éliminés au moyen d'étroits contreforts très saillants à l'extérieur, reliés entre eux par un chaînage de métal, ce qui explique que cet édifice d'apparence gracile n'ait jamais montré le moindre signe de faiblesse depuis plus de sept siècles.

La « Grande Châsse » des reliques a été envoyée à la fonte lors de la Révolution et la Couronne d'Épines est actuellement vénérée à Notre-Dame de Paris. Mais les exceptionnelles verrières de la Sainte-Chapelle, les plus anciennes de la capitale, suffisent à placer le monument parmi les plus prestigieux d'une ville qui n'en est pourtant pas avare. La lumière des vitraux du XIIIe siècle contre l'Ancien Testament et la Rédemption avec de fortes tonalités de bleus et de rouges auxquelles répondent le jaune et l'orangé plus pâles de la rose du couchant, datant du XVe siècle et consacrée aux scènes de l'Apocalypse.

Au milieu des milliers de petits personnages ainsi représentés figurent fréquemment Saint Louis, son frère Robert et Blanche de Castille. Cette profusion lumineuse fait presque négliger les décors sculptés, les dorures et les enluminures de la Sainte-Chapelle, qui sont pourtant remarquables.

Ci-contre :
◆ *Élevée à l'apogée de l'art des verriers au XIIIe siècle, la Sainte-Chapelle est un monument à la gloire du vitrail, tout en couleur et en lumière.*

Ci-dessus :

◆ *La rosace de la face ouest, plus tardive, appartient, par le dessin de ses lancettes en forme de flammes, et par la gamme chaude de ses couleurs, au style gothique flamboyant.*

LE PALAIS DE JUSTICE ET LA CONCIERGERIE

L'imposant complexe bâti au fil des âges s'étend sur une bonne partie de l'Ile de la Cité, incluant dans ses murs la Sainte-Chapelle.

De la même façon que Notre-Dame est l'héritière, à la pointe amont de l'île de la Cité, des premiers lieux de cultes des Parisiens, le Palais de Justice est, à l'extrémité opposée, l'émanation du pouvoir primitif, celui des gouverneurs romains. À leur suite, les souverains mérovingiens occupèrent le même bâtiment de pierre, promu du rang de simple forteresse à la fonction de palais royal.

Agrandie déjà par Saint Louis qui rend la justice dans la cour et qui fait élever la Sainte-Chapelle, la résidence prend vraiment beaucoup d'ampleur avec Philippe le Bel qui élève la Conciergerie et fait du palais l'un des plus somptueux du continent.

Charles V, qui avait manqué d'y périr en 1358 sous les coups d'Étienne Marcel et de ses partisans, fut le dernier souverain à occuper ce palais, qu'il quitta pour le Louvre.

Devenu le siège du Parlement, c'est-à-dire de la Cour Suprême de Justice du royaume, le palais se transforme peu à peu en un microcosme complexe où les présidents et les conseillers règnent sur un monde de procureurs, juges, greffiers et avocats, dans un dédale de salles et de galeries que peuplent aussi de nombreux boutiquiers et une foule mondaine.

Au-dehors, les parties les plus anciennes du Palais jalonnent le quai de l'Horloge : cette façade nord de la Conciergerie comporte la Tour carrée de l'Horloge, la Tour César et la Tour d'Argent, jumelles antérieures de plus d'un demi-siècle, et la Tour Bonbec, datant de 1250, où l'on soumettait les prisonniers à la question. Ce front, autrefois baigné par la Seine, demeure assez proche de ce qu'il était au temps des Capétiens. Plus que les magnifiques salles gothiques léguées par Philippe le Bel derrière ces remparts habillés de néogothique, c'est le souvenir des prisons de la Terreur qui crée aujourd'hui la curiosité de la Conciergerie. Dans ce registre, autour de l'impressionnante salle des Gens d'Armes, on voit les anciennes cuisines, la « Rue de Paris » où se tenait le bourreau, la chapelle des Girondins et la galerie des Prisonniers ainsi que les cachots de Marie-Antoinette, Danton et Robespierre qui lui sont contigus.

◆ *La Conciergerie : par ses tours (ci-contre), par ses salles gothiques ornées d'escaliers à vis (en page de droite), par sa façade aux styles variés donnant sur la Seine (en pages suivantes), le vaste monument révèle les étapes de sa longue histoire.*

L'ÎLE DE LA CITÉ

Premier endroit habité aux temps celtiques, l'île de la Cité est restée primordiale au cœur de Paris et des Parisiens.

« Dans sa royale robe et dans sa majesté », écrivait Péguy, Notre-Dame de Paris domine l'île de la Cité, qui est le berceau de la capitale et le parfait symbole de la nef lui servant d'emblème. L'histoire connue de ce site prestigieux remonte loin avant le début de notre ère, quand la modeste tribu celte des Parisii choisit cette île qui contrôlait un passage sur la Seine et permettait aussi de se préserver des tribus plus importantes établies dans la région. En 52 avant Jésus-Christ, les Romains confirmèrent leur choix judicieux en s'installant dans cette Lutèce à l'existence encore confidentielle. Plusieurs faits d'armes allaient ensuite rendre la cité célèbre, en particulier quand sainte Geneviève empêcha la population de fuir devant les Huns d'Attila, en 451, un siècle après que la ville eut pris le nom de Paris. La vaillance des comtes de Paris dans leur résistance aux Vikings fit mieux encore au Xe siècle, en ouvrant le trône de France à leur lignée, avec Hugues Capet pour premier souverain.

Devenue sans conteste la capitale du royaume, Paris grandit en même temps que le pouvoir royal, si bien que l'île de la Cité rayonna très tôt sur le reste du pays par l'intermédiaire du premier palais des rois de France, devenu le Palais de Justice, autant que par celui de la cathédrale Notre-Dame. L'administration et le culte étaient cependant loin d'avoir l'emprise qu'ils ont aujourd'hui et un réseau de rues étroites et tortueuses remplissait le moindre espace de l'île en forme d'amande, les maisons venant même s'appuyer sur les murs de la cathédrale.

Henri IV fut le premier à rompre cette disposition typiquement médiévale, en aménageant la place Dauphine près du Pont-Neuf et les travaux d'Haussmann, plus tard achevèrent la transformation du quartier, en faisant notamment disparaître les vingt-deux sanctuaires qui se tenaient dans le sillage de Notre-Dame.

L'île de la Cité ne demeure donc résidentielle que dans deux secteurs très limités, autour de la place Dauphine, en aval, et entre le quai aux Fleurs et Notre-Dame, à l'autre extrémité. Le vieux quartier de Notre-Dame comporte en outre quelques vestiges de l'enceinte gallo-romaine de Lutèce, des maisons d'hommes célèbres, comme celles de Du Bellay, Racine, et le musée de Notre-Dame.

Coincé entre l'Hôtel-Dieu néo-florentin, la préfecture de police et le tribunal de Commerce, le marché aux fleurs constitue ensuite une pittoresque enclave qui fait beaucoup pour le charme de l'île de la Cité. Enfin, quand les quais commencent à converger vers le célèbre square du Vert Galant, se révèle la place Dauphine, qui devait être à l'origine aussi monumentale que la presque contemporaine place Royale (maintenant place des Vosges) ; très transformée au fil des âges, elle n'en reste pas moins l'un des endroits les plus plaisants de la capitale.

Ci-dessus :
◆ *Le trafic des péniches et des bateaux-mouches est incessant autour des deux îles, l'île Saint-Louis et l'île de la Cité.*

◆ *L'île de la Cité regroupe, dans une densité exceptionnelle, quelques uns des plus célèbres monuments de Paris : Notre-Dame, le palais de Justice, la Conciergerie, la Sainte-Chapelle, l'Hôtel-Dieu...*

LE LOUVRE

Le plus grand musée de France, et l'un des plus grands du monde, recèle des trésors qui vont de l'Antiquité grecque, romaine ou égyptienne jusqu'au XIXᵉ siècle.

Bien qu'ils soient peut-être les plus importants jamais entrepris dans ce cadre, les travaux du Grand Louvre n'ont pratiquement pas modifié la perception extérieure du monument. C'est à André Malraux que l'on doit la plus récente des retouches subies par les façades du palais, puisque le ministre des Affaires culturelles fut à l'origine du creusement des fossés qui donnent ses véritables proportions à la fameuse colonnade de Perrault. Prévus dès le XVIIᵉ siècle, mais jamais réalisés, ces fossés sont enjambés par le pont dessiné à l'époque,

que les maçons d'aujourd'hui ont construit au moyen des pierres de la première façade de l'architecte Le Vau.

L'histoire de cette façade révèle d'ailleurs une suite de tentatives plus ou moins heureuses : après un début d'exécution, le projet de Le Vau fut abandonné en 1664, Colbert, nouveau surintendant des bâtiments, demandant alors des plans d'aménagement aux meilleurs architectes de France et d'Italie. On posa ainsi les fondations d'une façade imaginée par Le Bernin, venu tout exprès de Rome, mais ce qui était bon de l'autre côté des Alpes choqua le goût français et Louis XIV décida d'en revenir à Le Vau, pour un second projet. Celui-ci fut bientôt accaparé par le chantier de Versailles, et quand il fut décidé de doubler l'aile méridionale du palais du Louvre, l'architecte du roi eut sans doute moins d'influence que divers autres personnages. Parmi ceux-ci se distingua donc Claude Perrault, médecin, amateur d'architecture et frère du premier commis de Colbert, qui n'était autre que l'auteur des célèbres contes pour enfants.

Derrière cette entrée monumentale, la Cour Carrée vient de bénéficier d'une restauration de ses toitures, de ses façades et de sa statuaire, tandis que son pavage a été refait autour d'un bassin réalisé d'après un projet de Duban, architecte de Napoléon III. De la même manière, l'ensemble des bâtiments a été ravalé, ce qui change le caractère de la rue de Rivoli aussi bien que celui des quais, d'autant que les nouveaux passages piétonniers aménagés sous les galeries donnent une dimension plus humaine à l'immense palais. Au revers de ces façades, on sait comment la Pyramide et ses abords ont transformé la cour Napoléon, où la statue équestre de Louis XIV, signée Le Bernin, ménage la transition avec la place du Carrousel.

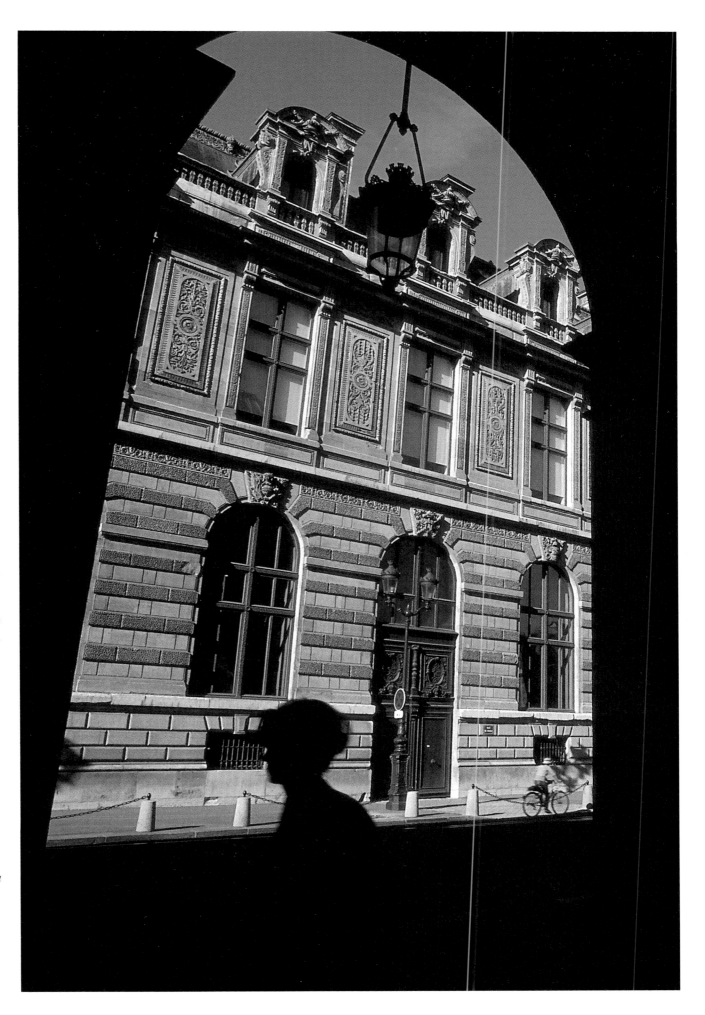

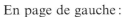
En page de gauche :
◆ *La Victoire de Samothrace est l'une des pièces-phares du musée du Louvre, bien mise en valeur au carrefour des grands escaliers.*

Ci-contre et en pages suivantes :
◆ *L'imposante façade du louvre s'étend sur plusieurs centaines de mètres le long de la rue de Rivoli.*

LES TUILERIES

Le Palais de Catherine de Médicis a laissé la place à un jardin qui s'étend du Louvre jusqu'à la place de la Concorde.

Des travaux récents, réalisés dans le cadre de l'aménagement du Grand Louvre ont permis le prolongement du dallage entourant la Pyramide jusqu'à l'Arc de Triomphe du Carrousel.

Au centre, figurent des parterres évoquant ceux de Le Nôtre. Inspiré de l'Arc de Triomphe de Sévère à Rome, le monument élevé à la gloire de Napoléon Ier et de ses victoires, ouvre la perspective du jardin des Tuileries, puis des Champs-Élysées et de l'Arc de Triomphe de l'Étoile. L'avenue du Général Lemonnier, maintenant dissimulée en sous-sol, laisse aux promeneurs l'espace entièrement libre entre les jardins du Carrousel et la place de la Concorde.

Hérité du palais – disparu – de Catherine de Médicis, qui s'étendait entre les actuels pavillons de Flore et de Marsan, ce nom de Tuileries est lui-même un souvenir du temps où les tuiliers cuisaient l'argile des lieux. Contemporain du palais, le jardin fit connaître dans le royaume la mode italienne des parcs mondains, avant que

Le Nôtre ne l'aménage au goût classique, en 1644, l'essentiel étant qu'il fut la première promenade publique de Paris. Colbert tenta bien d'en réserver l'usage à la famille royale, mais le conteur Charles Perrault le frère de l'auteur de la colonnade du Louvre sut plaider la cause des Parisiens.

À l'écart des bruits de la capitale, les Tuileries d'aujourd'hui ont gardé ce parfum de fêtes galantes que l'Ancien Régime finissant entretenait entre les bassins et les frondaisons, avec l'intérêt d'un véritable musée de la sculpture.

En effet, ce chef-d'œuvre d'art classique fut, dès l'origine, peuplé de statues amenées depuis Marly, comme les Chevaux de Coysevox, et chaque époque voulut ensuite laisser sa trace au hasard des parterres en y disposant des personnages marmoréens : les règnes de Louis-Philippe et de Napoléon Ier furent spécialement généreux avec les Tuileries et notre époque perpétue cette tradition avec les statues de Maillol ou les œuvres contemporaines qui ornent la terrasse du Jeu de Paume.

◆ *Le Jardin des Tuileries s'étend à l'emplacement du palais disparu. Il a gardé son aménagement classique, avec ses allées, ses bassins, ses statues et ses parterres de fleurs.*

Ci-dessus et en page de droite :
◆ *Les sculptures classiques se succèdent, intemporelles, au milieu des frondaisons.*

En page suivante :
◆ *Les jeux d'eau, bassins et fontaines sont l'une des attractions du Jardin des Tuileries.*

LE PALAIS DE L'INSTITUT

**Le Palais de l'Institut est
le siège prestigieux de
l'Académie française,
mais aussi des Académies
des Beaux-Arts, des
Inscriptions et Belles-
Lettres, des Sciences, et
des Sciences morales et
politiques.**

◆ *L'Institut de France, face au
Louvre, dresse sa célèbre coupole.*

L'apparition de ce monument dans le paysage parisien marqua la fin d'une époque en faisant disparaître les ruines de la trop fameuse tour de Nesle, vestige de l'enceinte de Philippe-Auguste.

Par testament, Mazarin fut à l'origine de cette construction, originellement destinée à un collège : établis par Le Vau, les plans en furent chaudement approuvés par Louis XIV pour qui le projet était « propre à augmenter la beauté et la magnificence du Louvre » situé sur la rive opposée.

Encore rehaussé du prestige attaché aux Académies, ce noble hémicycle déployé face à la Seine constitue en effet un digne pendant à la Cour Carrée avec laquelle il semble dialoguer par l'entremise du pont des Arts.

C'est bien ce que pensent tous ceux, nombreux, qui rêvent d'être reçus « sous la Coupole », sans compter l'immortalité qui leur est, soi-disant, promise.

LA PLACE DE LA CONCORDE

La plus grande place de France étend ses imposantes dimensions entre la Seine, les Tuileries et les Champs-Élysées.

En page de gauche et ci-contre :
◆ *L'obélisque de Louqsor, imposant cadeau de Mehemet-Ali, se dresse au centre de la place de la Concorde, entouré de fontaines.*

En pages suivantes :
◆ *De la place de la Concorde, cœur de Paris, cœur de la France, partent les Champs-Élysées vers l'Arc de Triomphe.*

Pour gagner les bonnes grâces de Louis XV, les échevins de Paris conçurent le projet d'une place monumentale au milieu de laquelle trônerait une statue équestre du « Bien-Aimé », commandée à Bouchardon.

Jacques-Ange Gabriel fut chargé de la réalisation de cette place Louis XV, qu'il dessina comme un prolongement des jardins des Tuileries, ainsi qu'en témoignent les exceptionnels dégagements dont elle est le centre.

Avant l'invasion automobile, l'aspect urbain de Paris s'estompait en effet sur trois côtés de la place, avec la Seine, les jardins des Champs-Élysées et les discrètes terrasses portant l'Orangerie et le Jeu de Paume. Seuls, au nord, deux grands palais affirmaient leur monumentalité, de part et d'autre de la rue Royale ; ils sont aujourd'hui occupés par le ministère de la Marine et l'hôtel Crillon.

Plusieurs fois rebaptisée au gré des changements de régime, la place de la Concorde eut un deuxième créateur en la personne de l'architecte Hittorff, sous la Monarchie de Juillet. Louis-Philippe voulait en finir avec le déboulonnage des statues qui accompagnait chaque prise de pouvoir et il décida de faire figurer au centre de la place l'obélisque de Louqsor provenant du temple de Ramsès II à Thèbes. Après de nombreuses péripéties, les 230 tonnes du monolithe de granit rose que Mehemet-Ali avait offert à la France furent érigées en 1836.

L'obélisque fut alors encadré des fontaines imitant celles de la place Saint-Pierre à Rome et, sur huit socles correspondant à autant de parterres, on disposa les statues des grandes villes de France, tandis que les fameux Chevaux de Marly conservaient leur poste à l'orée des Champs-Élysées.

Depuis ce temps-là, le pont de la Concorde et la rue de Rivoli ayant été ouverts sur la place, le monument vieux de plus de trente siècles préside au ballet incessant de la circulation.

LES CHAMPS-ÉLYSÉES ET L'ARC DE TRIOMPHE

Longue de deux kilomètres, bordée d'arbres, de contre-allées et de magasins de luxe, la perspective des Champs-Élysées débouche sur l'Arc de Triomphe.

A défaut d'être chargée d'histoire, l'avenue la plus célèbre de Paris et de l'Europe, est auréolée d'une réputation de luxe et d'élégance raffinée remontant au Second Empire. Jusqu'au XIXe siècle, et malgré la sollicitude des puissants, ces deux kilomètres prestigieux ressemblaient davantage à un morceau de campagne parcouru par du bétail qu'à une promenade urbaine et seuls une demi-douzaine de bâtiments jalonnaient les Champs-Élysées d'alors. Pourtant l'on s'était assez tôt préoccupé de ces

nistes n'ont eu de cesse de le prolonger et l'on sait que notre époque n'a pas dérogé à la tradition. Ainsi les Champs-Élysées atteignent bientôt le Rond-Point fameux, puis, en 1710, le duc d'Antin mène la promenade jusqu'à la butte de Chaillot, l'actuelle Étoile, qui fut ensuite arasée de façon à ce que les carrosses y circulent.

Vers 1800, tout semblait donc en place pour que les Champs-Élysées acquièrent le caractère aristocratique qui fut leur marque au XIXe siècle; un temps contrecarrée par les dégâts des Prussiens, des

espaces de champs et de marais prolongeant les Tuileries : en 1616, Marie de Médicis avait déjà fait aménager les bords de Seine avec le cours de la Reine, promenade à carrosses que Le Nôtre rattacha en 1667 à la perspective fameuse, plantée à cette époque de rangées d'arbres et baptisée du nom de Grand Cour, avant de recevoir, en 1709, celui de Champs-Élysées.

Depuis que le jardinier du roi a percé cet axe triomphal, les urba-

Anglais et des Cosaques campant sous ses frondaisons en 1814, l'évolution fut ensuite rapide qui fit passer de la promenade à l'avenue. Devenue propriété de la Ville, celle-ci se vit parée de fontaines, de trottoirs et de réverbères à gaz, tandis qu'au-delà des contre-allées s'élevaient de riches demeures particulières, ainsi que des hôtels de luxe pour les voyageurs.

Dès lors, de la Concorde au Rond-Point, les jardins des

En page de gauche :
◆ *La Marseillaise de Rude, sculptée sur l'un des piliers de l'Arc de Triomphe, incarne l'hymne national.*

Ci-dessus et en pages suivantes :
◆ *L'Arc de Triomphe, bâti sur ordre de Napoléon, est un colossal monument à la gloire des armées françaises.*

Ci-dessus :
◆ *L'œuvre sculptée, considérable,*
illustre des thèmes militaires :
groupes de soldats, batailles,
généraux...

En page de droite :
◆ *Les Champs-Élysées, la plus*
prestigieuse avenue de Paris,
s'étendent de la Concorde à l'Étoile.

Champs-Élysées virent fleurir dans leurs « carrés » découverts les cafés-concerts, les restaurants à la mode, les cirques, les panoramas et les salles de spectacles, dont l'espace Pierre-Cardin, le théâtre du Rond-Point et le théâtre Marigny constituent la version contemporaine. Ces larges espaces au cœur de la capitale furent également mis à profit à l'occasion des Expositions Universelles et le palais de l'Industrie y resta, par exemple, dressé de 1853 à 1898 ; d'autres témoignages de ces manifestations habillent encore les abords de l'avenue, en particulier l'audacieux pont Alexandre III et ces trésors « modern-style » que sont le Petit et le Grand Palais, tous monuments édifiés pour le rendez-vous « universel » de 1900.

À partir du Rond-Point, où cohabitent les hôtels du Second Empire et les fontaines lumineuses de Max Ingrand, disposées en 1958, l'avenue des Champs-Élysées conserve une largeur imposante bien que devenue franchement urbaine et tout à fait dans l'air du temps.

Des immeubles du XIXe siècle qui s'y succédaient ne subsiste en effet que l'Hôtel particulier de la Païva, renfermant un éblouissant décor d'onyx et de bronze doré. Les soirées mondaines ou les fêtes officielles ne sont plus de mise aujourd'hui, mais les Champs-Élysées restent un lieu de divertissement nocturne avec des cinémas, de grands cafés et des galeries commerciales, tels le Fouquet's, le Lido, ou le Drugstore Publicis.

Le commerce de luxe y trouve également à s'épanouir, mais ce sont désormais les bureaux, les représentations des plus grandes sociétés, automobiles et lignes aériennes surtout et les divers Offices du tourisme qui font, pendant la journée, l'essentiel de l'activité de l'avenue. Un rendez-vous des affaires, du tourisme et du prêt-à-porter qui s'achève en apothéose sur la place de l'Étoile, rebaptisée Charles-de-Gaulle à la mort du Général.

L'ÉTOILE

Une géométrie toute hausmanienne préside à l'agencement de la place de l'Étoile, qui s'enorgueillit en son centre de l'Arc de Triomphe.

◆ *La place de l'Étoile (rebaptisée Charles-de-Gaulle depuis la mort du général) mérite bien son nom, comme on le voit.*

Le premier aménagement de la place de l'Étoile fut l'œuvre du marquis de Marigny, surintendant des bâtiments du roi à la fin de l'Ancien Régime : nivelant les lieux, il dessina une esplanade circulaire d'où partaient cinq voies en étoile, composant la plus majestueuse entrée de Paris, qu'encadrèrent peu après deux bâtiments néoclassiques de Nicolas Ledoux.

Cette Étoile près de la barrière des Champs-Élysées fut ensuite choisie par Napoléon pour être le décor d'un colossal Arc de Triomphe en l'honneur des armées françaises : « Vous ne rentrerez dans vos foyers que sous des arcs de gloire », avait-il en effet déclaré à ses braves, au lendemain de la bataille des Trois Empereurs, le 2 décembre 1805.

Commandé à Jean-François Chalgrin, élève de Boullée, ce monument fut commencé en 1810 mais ne sera achevé que sous Louis-Philippe, en 1836, quatre ans avant le retour des cendres de l'Empereur.

Lors de cette cérémonie, le convoi funèbre passa sous l'Arc enfin terminé mais traversa une place de l'Étoile à l'état d'ébauche. Son aspect actuel ne fut dessiné qu'en 1854, par le baron Haussmann, créateur des sept nouvelles avenues qui composent désormais une parfaite étoile à douze branches, nobles artères que l'architecte Hittorff garnit avec les façades régulières des Hôtels dits « des Maréchaux ». La relative modestie de ces bâtiments est calculée pour mieux mettre en valeur la démesure du monument Empire qu'ils entourent, quoique l'Arc de Triomphe soit beaucoup plus que l'expression d'une volonté mégalomaniaque. Plus

même qu'un « monceau de pierre sur un monceau de gloire », comme l'écrivait Victor Hugo, loin d'imaginer que sa dépouille aurait les honneurs du monument, avant d'être emmenée sur le corbillard des pauvres qu'il avait exigé pour ses funérailles.

D'ailleurs l'histoire a déjà inscrit dans ces pierres la suite de l'épopée impériale, en leur confiant par exemple les défilés de la Victoire de 1919 et de la Libération de Paris en 1944, ou encore la sépulture du Soldat Inconnu, dont la flamme est ravivée chaque soir.

Indépendamment de ces émotions historiques, l'Arc comporte des éléments artistiques fameux des débuts du XIXe siècle, au milieu desquelles triomphe le sublime Départ des Volontaires de 1792, le chef-d'œuvre de Rude plus communément appelé La Marseillaise.

LE PALAIS DE CHAILLOT ET LE CHAMP-DE-MARS

Témoins des grandes expositions universelles, le Palais de Chaillot et le Champ-de-Mars forment une perspective dégagée qui traverse la Seine et passe sous la Tour Eiffel.

Inaugurée en 1867, la première Exposition Universelle déploya ses fastes sur le Champ-de-Mars et ce vaste espace accueillit par la suite toutes les manifestations du même genre, qui débordèrent progressivement sur les quais et la perspective des Invalides. Elles nous ont légué la Tour Eiffel comme souvenir le plus illustre, leur héritage comptant encore le Grand et le Petit Palais, ainsi que le palais de Chaillot, imposant témoin de la dernière Exposition Universelle française, en 1937.

La grande plaine du Champ-de-Mars avait tout d'abord été aménagée en 1765 pour les revues des troupes de la Maison du roi, puis attribuée comme terrain de manœuvre aux élèves de l'École Militaire, cet édifice bordant le terrain à l'opposé de la Seine ; des courses de chevaux étaient également organisées sur cette esplanade bien dégagée.

Au sujet du Champ-de-Mars, l'histoire a retenu la fête de la Fédération du 14 juillet 1790, puis la manifestation populaire réprimée dans le sang un an plus tard par le maire Bailly, qui allait être guillotiné pour cette action sur les lieux même du drame.

Périodiquement aménagé en jardin entre deux expositions, le Champ-de-Mars conserve de nos jours la composition imaginée par Formigé au début du siècle, avec une partie centrale traitée à la française et des abords de style anglais, où les frondaisons dissimulent des grottes, des arches, des cascades et des lacs miniatures.

Commencée avec la façade XVIIIe siècle de l'École Militaire, la perspective du Champ-de-Mars passe sous la Tour Eiffel, cet étendard de la révolution industrielle, et se prolonge au-dessus de la Seine par le pont d'Iéna, dont le nom rappelle qu'il s'agit d'une œuvre napoléonienne.

D'une rive à l'autre, l'axe quitte la plaine pour aborder le relief de la colline de Chaillot, que couronnent les deux ailes incurvées d'un palais de notre siècle.

Avant cette moderne consécration, cet endroit magnifiquement situé avait déjà défrayé la chronique : Catherine de Médicis y avait occupé une maison de plaisance, où s'illustra ensuite le bouillant Bassompierre ; agrandi, le domaine passa à Henriette de France qui y fonda le couvent de la Visitation. Puis, à la naissance du roi de Rome, Napoléon fit raser la colline et commanda à Percier et Fontaine « le plus vaste et le plus extraordinaire palais du monde » : l'ouvrage n'en était qu'aux terrassements à la chute de l'Empire et ces travaux furent en partie réutilisés lors de l'Exposition universelle de 1878, pour l'édification du palais du Trocadéro. Ce nom évoquait une obscure bataille du début du siècle, qu'une parade militaire avait reconstituée sur ce site.

En 1937, ce premier palais pseudo-mauresque servit d'ossature au palais de Chaillot actuel, qui est maintenant le cadre de prestigieuses institutions : le Musée de l'Homme, le Musée de la Marine, la Cinémathèque et le Théâtre National de Chaillot, émanation du Théâtre National Populaire de Jean Vilar.

Dans le même esprit que ceux du Champ-de-Mars, les jardins du Trocadéro s'organisent autour de parterres et d'un grand bassin aux puissants jets d'eau, dans le droit fil du style français, tandis que, latéralement, des allées et des ruisseaux sinuent à l'anglaise sous de beaux ombrages.

En page précédente et en page de
gauche :
◆ *Les deux pavillons aux ailes
courbes du Palais de Chaillot
abritent plusieurs musées, un
théâtre et une cinémathèque.*

Ci-dessus :
◆ *La vaste perspective du Champ-
de-Mars s'étend de l'École Militaire
au Palais de Chaillot, en passant
par la Tour Eiffel.*

LA TOUR EIFFEL

Devenue depuis 100 ans l'emblème de Paris, la tour élevée, presque par défi, par Gustave Eiffel, est aujourd'hui un monument mondialement connu.

La Tour Eiffel vient d'attaquer gaillardement son second siècle d'existence puisqu'elle avait été édifiée, on le sait, à l'occasion de l'Exposition universelle de 1889 : sans précédent par son ampleur et sa signification politique, cette manifestation marquait la volonté de la IIIe République d'affirmer, lors du centenaire de la Révolution, la puissance de la France et de ses idéaux. La Tour Eiffel, qui était pourtant un geste architectural tout à fait gratuit, est restée l'unique témoignage de cette remarquable profession de foi. Témoin ces lignes écrites en 1981 par Robert Lion pour stigmatiser la timidité des architectes réfléchissant au projet de la Tête Défense : « Il y a cent ans, une France bourgeoise, mais qui n'avait pas froid aux yeux, s'offrait la Tour Eiffel, pari fantastique ; pari gagné, d'où sortit une figure de légende pour la capitale, appelée à traverser les âges ». Ainsi, pour le bicentenaire de la Révolution, la tour de Gustave Eiffel fut-elle d'une certaine manière la marraine de la Grande Arche.

Toujours jeune et élégante, la Dame de Fer parisienne brille désormais de nouvelles lumières la nuit et fait oublier le jour, par une transparence de structures et un élan vertical parfaitement assortis aux variations de l'atmosphère, la prouesse technique qu'elle continue de représenter. En effet, le défi d'une « tour de 300 mètres » lancé aux architectes-ingénieurs du temps d'Eiffel n'a pas souvent été relevé depuis lors et, même si les gratte-ciels de Manhattan l'ont dépassée dans l'ordre du gigantisme, ils n'ont jamais été célébrés comme elle par le meilleur des peintres et des écrivains, après, il est vrai, quelques hésitations.

Lors de la construction de la Tour, l'opposition la plus forte vint en effet des intellectuels signataires de la protestation des « 300 », par exemple Charles Garnier (dont l'Opéra avait été ouvert une douzaine d'années auparavant), Gounod, Leconte de Lisle ou Maupassant, parmi bien d'autres et non des moindres. L'ingénieur Eiffel ne s'en formalisa pas outre mesure et dirigea avec une sûreté confondante l'assemblage des 18.038 pièces d'un puzzle d'acier préfabriqué dans ses ateliers de Levallois-Perret : le 31 mars 1889, le dernier des 2,5 millions rivets de l'édifice était posé. Dès cette année inaugurale, plus de deux millions de visiteurs s'enthousiasmaient pour la Tour et cet extraordinaire succès populaire fit oublier la polémique des débuts.

Ci-dessus, ci-contre et en page suivante :

◆ *Les fontaines des Jardins du Palais de Chaillot semblent célébrer la Tour Eiffel. Les aspects, proche et intérieur, de celle-ci, sont impressionnants.*

L'avenir de la Tour n'était cependant pas sans nuages car la concession accordée à Eiffel n'allait pas au-delà de vingt ans, tandis que, paradoxalement, cette belle démonstration d'architecture industrielle ne pouvait se prévaloir d'aucune espèce d'utilité. Son concepteur avait bien installé près de ses appartements privés du troisième étage des laboratoires de biologie, d'astronomie et de météorologie, mais ce n'était pas suffisant pour justifier le maintien de l'édifice. Le salut allait venir des ondes hertziennes : en 1898, Ducretet réussit à établir la première liaison radio, entre le sommet de la Tour Eiffel et le Panthéon et, en 1909, cette technique était suffisamment développée pour qu'on ne songeât plus à démolir une si belle antenne. Après le son, la Tour propagea l'image, le bélinographe en 1925 et la télévision dix ans plus tard. Aujourd'hui, l'aspect utilitaire de la Tour est complètement marginal au regard du symbole qu'elle représente pour la ville de Paris : elle a, dit-on, réussi à supplanter les Pyramides pour le titre du monument le plus connu de la planète et sa fréquentation annuelle est proche des cinq millions de visiteurs. Ceux-ci y découvrent la capitale sous un jour incomparable et peuvent goûter aux charmes de la brasserie ou des restaurants du 1er étage, que voisine un musée audio-visuel consacré à l'histoire du monument ; la plate-forme terminale permet en outre d'apercevoir les salons de Gustave Eiffel où, sans rancune, Gounod s'était rendu durant l'Exposition universelle de 1889 pour improviser en l'honneur de l'ingénieur un *Concerto dans les nuages*, sur des vers de Musset.

LES INVALIDES

Fondé par Louis XIV dans un sévère style classique, l'Hôtel des Invalides, destiné d'abord aux invalides de guerre, est aussi connu pour être la dernière demeure de Napoléon Ier.

◆ *L'église des Invalides, dessinée par Jules Hardouin-Mansart, l'architecte de Versailles, est l'un des sommets du style Louis XIV. Elle est devenue nécropole militaire et abrite le tombeau de Napoléon Ier.*

Plutôt que la prise de la Bastille, l'événement symbolique de la Révolution aurait pu être l'assaut des Invalides, puisque, le 14 juillet 1789 au matin, le peuple de Paris commença par investir ce monument, espérant y trouver des armes contre les troupes royales qui faisaient mouvement depuis la province.

Les émeutiers ramenèrent bien trente mille fusils des caves de cette place, mais, comme ils n'avaient pas de munitions, ils marchèrent alors vers la Bastille où l'on savait qu'une grande quantité de poudre venait d'être entreposée.

Curieusement, l'épisode est surtout attaché de nos jours au souvenir de Mademoiselle de Sombreuil, la fille du gouverneur, qui parvint à émouvoir les meneurs de l'insurrection et à obtenir qu'ils laissent la vie sauve à son père.

Sous le nom d'Hôtel Royal des Invalides, l'imposant ensemble, au-dessus duquel resplendit la dorure toute neuve du célèbre dôme de Mansart, fut créé en 1670 par Louis XIV, avec pour fonction d'accueillir les blessés de guerre. La construction de l'Hôtel lui même, empreint de la sévère majesté du Grand Siècle, fut l'œuvre de Libéral Bruant puis, à partir de 1677, comme pour Versailles, c'est Jules Hardouin-Mansart qui prit la direction des travaux.

On lui doit l'église Saint-Louis-des-Invalides ou église des Soldats, dont la stricte architecture abrite les sépultures de nombreux chefs des armées françaises ; mais la postérité a surtout retenu le Dôme dont il a coiffé une seconde église accolée à la première.

Commencé en 1679 et terminé presque trente ans plus tard par Robert de Cotte, le beau-frère de Mansart, c'est en effet le plus bel exercice du genre en France, marquant le sommet de l'art religieux du siècle de Louis XIV, en même temps que l'aboutissement des re-

cherches commencées vers 1600, avec le premier dôme à l'italienne de l'École des Beaux-Arts.

L'histoire des Invalides prit une autre dimension à partir du 15 décembre 1840, date du retour des cendres de Napoléon, organisé à l'initiative de Louis-Philippe. Après être passé sous l'Arc de Triomphe, le char funèbre fut conduit au long des Champs-Élysées, puis vers les Invalides où l'attendait une crypte circulaire creusée tout spécialement par l'architecte Visconti.

Celui-ci est également l'auteur du tombeau monumental de l'empereur, achevé en 1861 : depuis lors, des milliers de visiteurs se recueillent chaque année devant le très célèbre sarcophage de porphyre rouge reposant sur un socle en granit vert des Vosges.

Le temps n'est plus aux batailles rangées à travers l'Europe et l'Hô-tel des Invalides a donc perdu sa vocation d'hôpital militaire au profit de diverses administrations de l'Armée, ce qui a nécessité récemment de grands travaux de rénovation pour rendre à l'édifice son caractère originel.

Mis à part pour le coup d'œil sur le Dôme, qui est inégalable depuis la place Vauban, il convient plus que jamais d'aborder les Invalides par le pont Alexandre III et la fameuse Esplanade dégagée entre 1704 et 1720 par Robert de Cotte : on découvre ainsi l'immense façade du monument, précédée par son jardin français, mais aussi les façades latérales que cette restauration a permis de dégager.

L'Hôtel des Invalides abrite un musée de l'Armée dont les collections sont sans rivales de par le monde, ainsi que le musée de l'Ordre de la Libération.

Ci-dessus et en page de droite :
◆ *L'Hôtel des Invalides, surmonté de son célèbre dôme, est consacré aux gloires militaires de la France.*

LES PONTS ET LES QUAIS

Du Pont-Neuf au Pont de l'Alma, du Quai d'Orsay au Quai des Orfèvres, les ponts et les quais de Paris occupent une place importante dans l'histoire de la cité, mais aussi dans sa personnalité en grande partie fluviale.

On a coutume d'affirmer que la Seine est la plus belle rue de Paris tant les grands monuments de la capitale semblent avoir été disposés en l'honneur du fleuve et tant l'histoire a intimement lié ses larges courbes aux artères de la ville. Ces épousailles furent d'abord le fait de la Confrérie des Nautes avant que n'apparaissent les premiers ponts : jusqu'au XVIe siècle il n'y en eut que deux, puis les passages se multiplièrent, croulant régulièrement sous le poids des maisons, la pression des crues et le choc des glaces ou des navires.

Avec un temps de retard, les quais firent leur apparition le long de la Seine, mais ils demeurèrent longtemps isolés, jusqu'à ce que Louis XV et Napoléon mènent à son terme l'aménagement des berges du fleuve. Outre le Zouave du pont de l'Alma à qui les Parisiens ont assigné la mission de mesurer la hauteur des crues, est-il meil-

leure preuve du rôle essentiel joué par la Seine à Paris que les noms de quai des Orfèvres, quai d'Orsay ou quai Conti, utilisés en raccourci pour désigner les grands rouages de la nation disposés sur son tracé ? Au touriste qui la longe en cherchant les meilleurs points de vue sur Notre-Dame ou le Louvre, le fleuve-roi révèle vite sa propre personnalité.

Dans le détail, du square du Vert-Galant aux bateaux-mouches et des nombreux bouquinistes au quai Branly, les berges de la Seine distillent des visions éminemment parisiennes, tandis que, considéré dans son ensemble, le flot paisible du fleuve, qui s'incurve au juste milieu de la capitale et enserre l'île de la Cité où tout a commencé, symbolise l'écoulement du temps entre les principales articulations de l'histoire que figurent les ponts. Au total, trente-trois ponts relient les deux moitiés du Paris intra-muros et, à chacun, s'attache une

Ci-dessus et en page de gauche :
◆ *Les ponts de Paris, bien dignes
de la majesté du fleuve qui traverse
la capitale, contribuent à sa gloire.
Même le métro en emprunte un !
(Ci-contre.)*

parcelle du patrimoine de la capitale.

Pour s'en tenir aux principaux, et d'amont en aval, il faut retenir le pont Sully, qui ménage des aperçus caractéristiques sur l'île Saint-Louis et le chevet de Notre-Dame, le pont Marie, l'un des plus anciens, longtemps couvert de maisons à l'image du Ponte Vecchio de Florence, le pont de l'Archevêché qui livre le meilleur de Notre-Dame, le Pont-Neuf, pour lequel tous les su-

perlatifs sont bons et dont les Parisiens ont fait leur préféré depuis 1607, le pont des Arts, œuvre de Bonaparte, celui du Carrousel aux candélabres télescopiques, le pont Royal, offert par Louis XIV et signé Hardouin-Mansart.

Et aussi les ponts de la Concorde aux points de vue uniques, Alexandre III, à la décoration typique ainsi que le dernier-né, le pont Charles de Gaulle aux lignes très épurées.

◆ *Le « Pont-Neuf », qui accède à l'île de la Cité, est le plus ancien de la capitale, puisqu'il date de 1607.*

LE LUXEMBOURG

Nés de la volonté de la reine Marie de Médicis, le palais et le jardin du Luxembourg forment un ensemble aux influences à la fois françaises, anglaises, italiennes et anglaises.

Pour les Parisiens, le même mot de Luxembourg désigne indifféremment le palais et son jardin, un usage parfaitement justifié quand on sait que l'ensemble témoigne du premier mariage en terre française de l'art des architectes et de celui des jardiniers, tradition qui fut importée d'Italie par l'entremise de Marie de Médicis. Cette Florentine déracinée se souvenait en effet avec nostalgie des demeures de son enfance et, en particulier du palais Pitti : aussi, ne se plaisant guère au Louvre après la mort d'Henri IV, chercha-t-elle un emplacement pour faire construire une demeure dans ce goût. La perspective dont elle rêvait impliquait un long dégagement.

En 1612, elle commença par faire l'acquisition de l'Hôtel du duc François de Luxembourg – l'actuel Petit Luxembourg – s'employant ensuite à agrandir son domaine des parcelles qui l'environnaient. Quelques années plus tard, la Régente demanda à Salomon de Brosse d'accoler à l'Hôtel primitif un vaste palais à l'italienne : unanimement admiré, ce Grand Luxembourg devait affirmer sa puissance et l'on mesure le luxe de la demeure à la fameuse commande de vingt-quatre grands tableaux à Rubens, destinés à en décorer l'une des galeries, reconstituées aujourd'hui à la galerie Médicis du Louvre. Après avoir emménagé en 1625 dans cette fastueuse demeure, celle qui était devenue la reine-mère n'en profita que peu de temps, car Richelieu l'emporta dans la lutte d'influence que tous deux menaient auprès de Louis XIII : en 1630, Marie de Médicis était exilée à Cologne, où elle

◆ *Le Palais du Luxembourg, son bassin, ses jardins représentent l'oasis de la rive gauche de la Seine.*

devait malheureusement mourir dans l'indifférence générale.

La maîtresse-femme avait cependant eu le temps de faire disposer autour du château un parc grandiose, avec de larges allées d'ormes entrecoupées de parterres fleuris qui s'organisaient à partir d'un noble bassin central, le tout constituant un petit univers fort apprécié de la reine et de l'ensemble des dames de sa suite.

Lorsque disparut le couvent voisin des Chartreux, Chalgrin put aménager avec l'avenue de l'Obser-vatoire et ses frondaisons, la perspective souhaitée longtemps auparavant par Marie de Médicis. Du domaine des Chartreux, subsistent de nos jours le verger, avec les espaliers et les ruches qui forment une vision surprenante au cœur de la cité, tandis que la plus belle pièce du jardin de la reine-mère est évidemment la fontaine de Médicis, qui murmure à l'ombre de platanes centenaires ; pour le reste, le parc est un amalgame des styles français et anglais, peuplé d'une multitude de statues.

◆ *La fontaine Médicis (ci-dessus) a gardé le nom de la fondatrice du Palais du Luxembourg et de son parc magnifique orné de sculptures (en page de droite).*

L'OPÉRA

Le quartier de l'Opéra, avec ses larges avenues, sa place, et l'Opéra de Garnier, constitue le plus bel exemple du style Napoléon III.

Fleuron de l'urbanisme selon Haussmann, le quartier et la place de l'Opéra furent conçus comme une mise en scène pour un monument qui représente, quant à lui, le meilleur du style Napoléon III. Si le palais Garnier s'imposa comme un archétype dans le monde entier, c'est en effet qu'il inaugurait un nouveau style, bien dans l'esprit de l'Empire triomphant, et Théophile Gautier pouvait, sans craindre le ridicule, voir en lui une « cathédrale mondaine de la civilisation ». Largement plus d'un siècle après son inauguration, l'Opéra de Paris demeure très impressionnant par ses proportions, et surtout par l'exceptionnelle unité de l'architecture et du décor.

Avec ses 172 mètres de long et ses 101 mètres de large, ce gigantesque monument est considéré comme le plus grand théâtre du monde avec ses dépendances.

La façade de l'édifice est ornée de colonnes, de frises, d'allégories et de sept bustes de compositeurs. L'œuvre la plus remarquable est sans doute le célèbre groupe de Jean-Baptiste Carpeaux, *La Danse*, prologue au fameux « corps de ballet », dont l'original est au Louvre.

L'intérieur quant à lui est un festival d'escaliers en marbre (témoin l'admirable escalier d'honneur large de 10 mètres à la base), de colonnes, de balustrades, de lustres, de cristaux de Bohême et de cariatides portant des candélabres en cuivre. Le buste de Garnier, au centre, fut sculpté par Carpeaux.

On retiendra également dans la salle le plafond peint en 1964 par Chagall qui s'est inspiré de neuf opéras et ballets célèbres parmi lesquels *La flûte enchantée* de Mozart, *Le Lac des cygnes* de Tchaïkovski et *L'Oiseau de feu* de Stravinski. C'est le seul élément moderne de l'édifice.

Ci-dessus, ci-contre et en page de droite :
◆ *L'Opéra de Garnier se veut un monument dédié à l'art, au luxe et au plaisir.*

LE SACRÉ-CŒUR

Couronnant de sa masse blanche la butte Montmartre, la basilique du Sacré-Cœur est devenue l'emblème du quartier.

Planté en haut de la butte Montmartre, le Sacré-Cœur est vu de nombreux endroits de Paris et, comme Notre-Dame, il est devenu un point de repère.

Jamais un touriste n'achètera une toile à Montmartre s'il n'y figure au moins en arrière-plan la silhouette blanche et ronde de la basilique du Sacré-Cœur, qui est devenue ainsi l'emblème national d'un quartier aux nuits bien peu catholiques. Il serait vain de parler d'esthétique devant le Sacré-Cœur ou à l'intérieur. Le but était de faire grandiose... et l'on y est parvenu ! Cet énorme édifice de sytle romano-byzantin fut bâti en expiation des « crimes de la Commune »

par l'architecte Paul Abadie. Les coupoles rappellent par leur forme originale celles de Saint-Front de Périgueux. La première pierre fut posée en 1875, mais la basilique ne fut achevée qu'en 1914 et inaugurée en 1919. Même si les puristes trouvent un goût de pâtisserie à son architecture, le sanctuaire mérite mieux que ce rôle de décor stéréotypé : à l'intérieur, on peut s'attacher notamment à la grande mosaïque qui orne la voûte du chœur, aux vitraux, refaits après la dernière guerre, ou encore à la Savoyarde qui se trouve dans le campanile : avec près de vingt tonnes, cette cloche fondue en 1895 à Annecy est en effet l'une des plus grosses que l'on connaisse.

Ci-dessus et en page de droite :
◆ *La basilique du Sacré-Cœur est l'un des monuments les plus visités de France.*

MONTMARTRE

L'un des quartiers les plus pittoresques de la capitale, Montmartre conserve le souvenir du village d'antan et de la présence de nombreux artistes du XIXᵉ et du XXᵉ siècles.

Parmi les différents villages que Paris a englobé au fur et à mesure de son extension, Montmartre est celui qui a le mieux préservé son identité : même cernée par les boulevards d'Haussmann et assiégée par les immeubles, la célèbre « butte » résista en effet longtemps à l'emprise tentaculaire de la grande cité, par le seul fait qu'elle constitue le point culminant de la capitale, avec des escarpements inconnus ailleurs. Illustrée par des vignobles et des moulins, la survivance en ce lieu d'un pittoresque aux allures provinciales s'inscrit dans un contexte historique bien particulier, dont la basilique du Sacré-Cœur et les peintres impressionnistes de la place Pigale furent les ultimes produits, si l'on excepte le vin local, le « jinglet » acide et bleuté.

Après avoir servi de piédestal à un temple de Mercure, la colline du martyre de saint Denis, ce Mons Martyrum, qui fut précocement couronné d'une chapelle, revint bientôt à une puissante abbaye bénédictine que les Dames de Montmartre devaient occuper jusqu'à la Révolution. Parallèlement à cette vocation sacrée, la butte et son hameau poursuivaient une existence laborieuse dont les vignes et les moulins étaient les manifestations les plus voyantes, ces derniers tournant au faîte du relief pour moudre le grain, mais surtout pour broyer le gypse extrait sur place de profondes carrières. La Révolution décapita le monastère en même temps que sa dernière abbesse, puis les moulins cessèrent de tourner car les galeries creusées pour le gypse minaient la colline, et c'est dans ce décor figé que la

Ci-contre et en page de droite :
◆ *Le cabaret « Au Lapin Agile » est l'un des plus célèbres de Montmartre.*

En pages suivantes :
◆ *La butte Montmartre est couronnée en son sommet de la blanche basilique du Sacré-Cœur.*

Commune prit naissance, après que les Montmartrois eurent soustrait 171 canons à la convoitise des Prussiens.

La basilique du Sacré-Cœur fut édifiée à la suite d'un vœu formulé en ces temps troublés pour témoigner de la confiance des catholiques dans les destinées de l'Église et de la France. Dominant la vieille église Saint-Pierre, ce massif sanctuaire de style romano-byzantin est dû à l'architecte Abadie, très inspiré par l'église Saint-Front de Périgueux qu'il venait de restaurer : fidèles et touristes s'y pressent depuis le début du siècle, les premiers pour assurer le relais de l'Adoration perpétuelle et les seconds pour profiter du panorama exceptionnel que procure la galerie extérieure du Sacré-Cœur.

Avant les événements tragiques de la Commune, le vent de la liberté soufflait déjà sur la Butte et avait attiré en plus des mauvais garçons nombre d'artistes et d'hommes de lettres, séduits en outre par l'ambiance campagnarde émanant des rues et des escaliers de Montmartre, bordées de maisons basses et biscornues, égayées par des volets peints et des jardins fleuris.

Le mouvement s'amplifia après 1871 et ce quartier, a priori déshérité, demeura jusqu'en 1914 le phare littéraire et artistique de la capitale, rôle que reprit ensuite Montparnasse.

L'histoire de l'art n'a pas complètement délaissé Montmartre comme le symbolise la permanence du Bateau-Lavoir : cette sordide bâtisse d'illustre renommée,

détruite par un incendie après qu'elle eut abrité Picasso, Juan Gris, Braque, aussi bien que Francis Carco, Marc Orlan et Apollinaire, a été reconstruite récemment pour devenir une moderne cité d'artistes.

La cohabitation entre l'affluence touristique et l'art authentique n'est toutefois pas évidente, comme la place du Tertre et la place Blanche en donnent l'illustration, ce qui n'empêche la Butte Montmartre de cultiver, à chaque détour, une parcelle de son incomparable histoire : c'est la maison de Poulbot rue Lepic, le *Lapin Agile* rue des Saules, d'innombrables ateliers donnant sur le boulevard de Clichy et encore une pléiade de grands noms qui se partagent les cimetières du Nord et de Saint-Vincent.

LE CANAL SAINT-MARTIN

Dans le nord-est de Paris, le canal Saint-Martin véhicule un charme un peu suranné avec ses écluses et ses passerelles.

Toujours emprunté par le trafic fluvial traditionnel, le canal Saint-Martin conserve donc la fonction qui lui avait été assignée sous la Restauration, en assurant la liaison avec le canal de l'Ourcq et la Marne, ainsi qu'avec celui de Saint-Denis et la Seine, en aval de Paris.

C'est le long des quais de Jemmapes et de Valmy, au débouché de ce tunnel commencé sous la place de la Bastille, que le canal Saint-Martin montre le plus de son charme désuet et, accoudé à la rambarde d'une écluse, il est encore possible d'y parler d'« atmosphère ». Cette section haute en couleur prend fin sur la perspective éminemment classique de la Rotonde de la Villette, un ancien pavillon des gardes d'octroi de l'enceinte des Fermiers Généraux : cet édifice qui porte la marque de Claude-Nicolas Ledoux vient d'être dégagé des bâtiments qui l'environnaient et abrite des expositions temporaires. Le canal Saint-Martin se continue alors avec le bassin de la Villette, qui a retrouvé la vocation plaisancière de ses débuts.

◆ *Le canal Saint-Martin compte des écluses (ci-dessus) et des passerelles (ci-contre) dont celle, face à l'Hôtel du Nord, qui servit de décor à l'un des plus célèbres dialogues du cinéma (en page de gauche).*

LE MARAIS

Les hôtels particuliers du XVIIe siècle, le musée Carnavalet, la place des Vosges, tout dans le Marais rappelle le riche passé d'un quartier aujourd'hui encore très vivant.

Situé en grande partie à l'emplacement d'un bras mort de la Seine, le quartier du Marais ne fut bâti qu'après le Moyen Âge, des moines et des maraîchers en ayant auparavant exploité les terrains. Son axe principal, la rue Saint-Antoine est, par contre, une très vieille artère héritée de la voie romaine menant de Paris à Melun : avant de devenir un large espace dévolu aux fêtes et aux réjouissances, elle demeura longtemps comme une sorte de digue coupant à travers les paysages. Le premier établissement d'importance à s'élever dans le Marais

fut, au XIIe siècle, un prieuré des Templiers, mais la véritable naissance du quartier est due aux Valois : à partir du XIVe, les souverains passèrent la Seine et firent construire l'hôtel Saint-Pol, puis celui des Tournelles, de triste mémoire, et tous les puissants de la capitale leur emboîtèrent le pas.

Après les fastes de la Renaissance à la mode italienne, le Marais fut un peu délaissé par la noblesse, jusqu'à ce qu'Henri IV ne remette le quartier à la mode, en y disposant la très aristocratique place des Vosges. Alors, courtisans, magistrats, hommes d'église, bourgeois enrichis et financiers, chacun vou-

lut faire étalage de sa fortune et de son bon goût, n'hésitant pas, à cet effet, à raser de somptueuses demeures héritées du passé. Architectes, peintres et sculpteurs, le meilleur du monde artistique œuvra à l'embellissement du Marais et ces décors raffinés accueillaient les salons littéraires les plus en vue comme les grands talents de la musique ou de la comédie, dont un célèbre festival d'été prolonge la présence en ces lieux. L'engouement pour le Marais fut ainsi à son comble au XVIIe siècle, avant de ralentir ensuite, quand le goût français porta plus vers les grandes perspectives ; toutefois les dernières années de l'Ancien Régime virent encore quelques constructions nouvelles, tels que les hôtels d'Hallwyll et de Sandreville.

On imagine le sort que la Révolution réserva à ces demeures et, jusqu'à une date proche de nous, la plupart des trésors architecturaux du Marais allèrent à vau-l'eau, morcelés, reconvertis en petits ateliers ou servant de dépôts. Une réhabilitation d'ensemble a été entreprise au début des années 90 dans le cadre d'un plan de sauvegarde géré par l'État. Ce changement visait, tout en conservant les caractéristiques du quartier, à l'amélioration des conditions d'hygiène et de confort des logements. L'Évolution est bien mesurable aujourd'hui : les immeubles d'habitation abritent aussi des petits commerces et des activités artisanales. Les architectes, en respectant le style, la volumétrie et l'aspect visuel de l'ancien quartier ont pleinement contribué au renouveau de celui-ci. Des bâtiments aussi somptueux que ceux du palais Soubise ou de l'Hôtel de Béthune-Sully y côtoient en effet de modestes boutiques ; des antiquaires de luxe ou quelques-uns des grands noms de la mode y voisinent avec des ateliers aux productions de fantaisie qu'animent des immigrés de toutes provenances, populations laborieuses dont le flot se mêle à celui du tourisme en une sympathique cohue.

Ci-contre et en page de droite :
◆ *Le vieux quartier du Marais offre au regard ses belles façades du XVIIe siècle, ses arcades, ses toits d'ardoise...*

Outre les monuments déjà cités et l'ensemble incomparable de la place des Vosges, le Marais compte comme principaux édifices l'Hôtel Carnavalet, où règne le souvenir de la marquise de Sévigné, l'Hôtel de Lamoignon, où s'abrite la Bibliothèque historique de la Ville de Paris, l'Hôtel Guénégaud, avec le musée de la Chasse et de la Nature, l'Hôtel de Rohan et l'Hôtel Salé, devenu le cadre d'un remarquable musée Picasso.

SAINT-GERMAIN-DES-PRÉS

Cafés littéraires, galeries, antiquaires, écoles et facultés perpétuent une tradition culturelle initiée avec la fondation dès le Haut Moyen Âge de la puissante abbaye de Saint-Germain-des-Prés.

D'autres quartiers de Paris peuvent devenir à la mode ou, au contraire, perdre les faveurs du public, Saint-Germain-des-Prés n'en a cure et demeure auréolé depuis la guerre d'un prestige qui ne se dément pas. Le long du boulevard Saint-Germain, ce sont Le Flore, Les Deux Magots ou la brasserie Lipp par où passe toute la vie culturelle de la capitale, ce sont, plus près de la Seine, les innombrables galeries de peinture contemporaine, les antiquaires les plus achalandés et les librairies remplies d'ouvrages rares, et encore, au sud du célèbre boulevard qui longe la non moins fameuse église Saint-Germain-des-Prés, les boutiques des couturiers et des chausseurs en vogue. Le tout entre-coupé de délicieuses placettes et de petits squares qui ajoutent au charme d'un quartier privilégié.

On sait que Saint-Germain-des-Prés est l'émanation d'une puissante abbaye bénédictine qui a contribué à faire de la rive gauche un foyer culturel à l'intense rayonnement, et cette première implantation fut suivie par celle de plusieurs établissements universitaires. Deux de ceux-ci composent un magnifique front de Seine au droit du pont des Arts : si l'école des Beaux-Arts ne s'est installée qu'en 1816 à Saint-Germain-des-Prés, en amont, le palais de l'Institut de France fut à l'origine le collège des Quatre-Nations (il s'agissait du Piémont, de l'Alsace, de l'Artois et du Roussillon), avec Mazarin pour fondateur. À l'initiative de Napoléon, la prestigieuse coupole de Le Vau abrite désormais les séances des cinq Académies qui composent l'Institut, la plus fameuse des sociétés savantes rassemblant bien entendu les Immortels en habit vert.

Face à la pointe de l'île de la Cité, un troisième édifice complète la bordure du quai Conti, l'Hôtel de la Monnaie, qui fut le premier vers 1775 à illustrer le style Louis XVI : il y subsiste deux ateliers de frappe voisinant avec un musée monétaire.

D'un de ces hauts lieux à l'autre, le flâneur aura le plaisir de découvrir maints témoignages de la richesse artistique et historique de Saint-Germain-des-Prés : un bronze de Picasso dans un square, le musée Delacroix dans l'appartement du peintre, rue de Fürstenberg, l'emplacement de l'Illustre Théâtre de Molière, rue de Buci, et encore quelques arcades témoignant de l'ancienne foire Saint-Germain tenue de 1402 à 1811. Par son ampleur, par la diversité des marchandises exposées et par son caractère festif, on peut voir en cette foire la préfiguration des expositions universelles des XIXe et XXe siècles.

En page de gauche :

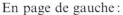 *Le Procope, fondé par Francesco Procopio dei Coltelli en 1686, est le plus ancien café de Paris.*

Ci-contre :

◆ *Le clocher du XIe siècle témoigne de la puissance passée de l'abbaye bénédictine de Saint-Germain-des-Prés.*

MONTPARNASSE

Des noms illustres ont fait la célébrité du quartier de Montparnasse, que continuent d'animer théâtres et cabarets.

Où donc, ailleurs qu'à Montparnasse, ont pu se côtoyer avec tant d'aisance la littérature du Nouveau Monde, la Révolution russe, les avant-postes de la philosophie, la poésie et la musique réinventées et l'explosion de l'art moderne? Quel quartier peut se targuer d'avoir vu vivre aussi bien Henry Miller, Scott Fitzgerald et Ernest Hemingway que Lénine et Trotsky, Sartre, Blaise Cendrars, Apollinaire, Stravinsky et Eric Satie, Dali, Picasso, Chagall, Gauguin ou Modigliani? De quelle rare alchimie ce quartier de Paris bénéficie-t-il, pour avoir précocement reçu le nom de la montagne de Grèce consacrée jadis à Apollon le dieu de la beauté et de la poésie?

Cette image du mont Parnasse peut faire sourire quand on contemple le quartier actuel, livré à de grands travaux d'urbanisme et quasiment dépourvu de relief. Pourtant, longtemps avant que le monolithe de la Tour Montparnasse ne domine ces horizons, une colline pointait là, fabriquée au cours des siècles avec les déblais des carrières locales, et les « escholiers » avaient pris l'habitude de s'y réunir pour déclamer ou faire bombance. Le quartier leur doit son nom, conservé après l'arasement de la butte dont le boulevard du Montparnasse traverse l'emplacement.

Au lendemain de la Révolution, la poussée urbaine n'avait pas encore atteint le village de Plaisance primitivement établi au bas de la colline, et cette proche banlieue devint le rendez-vous des bambocheurs. Haussmann mit en ordre ces lisières de la capitale en ouvrant de larges avenues et en organisant les constructions, cependant le pli était pris et les noctambules continuèrent de faire de Montparnasse leur terre d'élection.

Volontiers noceurs, mais apportant une dimension supplémentaire au quartier, les artistes, les poètes et les écrivains d'avant-garde colonisèrent Montparnasse à partir des années 1900, en même temps que Montmartre cessait d'être, pour cette bohème, le centre du monde. Leurs temples avaient pour nom la Closerie des Lilas, cénacle des poètes, ou La Ruche, un ancien pavillon des Vins de l'Exposition de 1900, remonté à Montparnasse pour abriter les ateliers des peintres et des sculpteurs: ils précédèrent en notoriété et en animation les actuelles brasseries du boulevard, le Dôme, la Rotonde, le

Ci-dessus:
◆ *La Ruche, ancien pavillon des vins de l'Exposition de 1900, fut remonteé à Montparnasse et abrite encore aujourd'hui des ateliers de peintres et de sculpteurs.*

Ci-contre:
◆ *Le cimetière Montparnasse peut s'enorgueillir de tombes prestigieuses d'artistes, telles que celles de Bourdelle, Sartre, Beauvoir et Baudelaire...*

Sélect, La Coupole, tandis que les modernes ateliers d'artistes qui voisinent avec les architectures néoclassiques de Ricardo Bofill abritent peut-être en leur sein les continuateurs de l'École de Paris.

De même, rue de la Gaieté, les cabarets et les salles de spectacle de maintenant, derrière les têtes d'affiches que sont la *Gaieté-Montparnasse*, *Bobino* et le *Théâtre Montparnasse*, se veulent les dignes héritiers du *Veau qui Tête* et du *Bal des Gigoteurs*.

Moins souriant, l'espace autour duquel est constitué le quartier mérite cependant d'être mentionné : en effet, établi sur les terres de trois anciennes fermes, le cimetière Montparnasse rassemble les sépultures d'un nombre impressionnant de grands hommes, dont beaucoup habitèrent à quelques pas de leur dernière demeure : c'est le cas par exemple de Bourdelle et de Brancusi et, plus récemment, comme pour démontrer la permanence de l'esprit qui souffle sur ce quartier de Paris, Jean-Paul Sartre et Simone de Beauvoir y furent inhumés côte à côte, après avoir vécu de longues années chacun sur un bord de ce cimetière.

Ci-dessus :
 Les constructions néoclassiques de Ricardo Bofill ont su s'intégrer dans un lieu riche d'échanges et de traditions.

À droite :
◆ *La tour Montparnasse modifie désormais l'horizon du quartier dont elle est devenue le symbole.*

CRÉDITS PHOTOGRAPHIQUES

Les illustrations de cet ouvrage sont distribuées par les Agences Explorer, Pix et Scope, à l'exception de :

Bertrand MACHET
Pages de garde, pp. 8, 10, 12, 14-15, 16, 17, 22-23, 25, 32-33, 37, 39, 43, 44-45, 48 (haut), 49, 50, 51 (haut), 53 (haut), 55, 56, 57, 58-59, 61, 78, 79, 84-85, 87, 89, 90-91, 92-93, 94, 95, 96, 99, 100-101, 103, 104-105, 106, 107, 108, 109, 110, 111, 114, 116, 117, 119 (bas), 120, 121, 122, 123, 125, 126, 127, 128, 130-131, 133, 134, 135, 136, 137, 138 (bas), 139, 140.

Les documents de la couverture ont été réalisés par Bertrand MACHET (a, b, dos et 4e de couverture), Michel GUILLARD/SCOPE (c), Noël HAUTEMANIÈRE/SCOPE (d).

Achevé d'imprimer en mars 2001
sur les presses de PPO à Pantin
Imprimé en France
Dépôt légal : mars 2001
ISBN : 2-8307-0370-7